KB179498

BT
REPORT

국내외 시멘트 산업분석보고서 2022개정판

저자 비피기술거래 비피제이기술거래

목차

Contents

Ⅰ.서론

I. 서론

한국의 시멘트 산업은 60~70년대 경제발전기에 국가기간산업의 역할을 다하며 1980년대부터 해외에 생산 기술을 수출할만큼 인정받아왔다. 또한 연간 6000여만 톤의 생산 규모를 갖춰 시멘트 산업으로 세계 순위권에 오르기도 했다. 그러나 2000년대에 들어, 환경을 망치는 공해산업으로 낙인이 찍히면서 정작 국민 관심사에서는 멀어져버렸다.

또한 건설경기의 침체와 각종 부동산 규제, 코로나19의 여파로 시멘트 수요는 지난 2017년 이후 감소세가 지속되고 있는 실정이다. 여기에 탄소배출권 거래제도와 질소산화물 배출부과금 및 안전운임제 시행 등 각종 규제도 비용부담을 높이는 리스크로 작용하고 있다.

한국시멘트협회에 따르면 올해 2분기 시멘트 출하량은 약 1420만톤으로 전년 동기 대비 8% 감소한 것으로 나타났으며, 1분기 시멘트 출하량은 약 1160만톤으로 작년보다 5% 감소한 것으로 나타났다. 상반기 전체로 보면 지난해 같은 기간에 비해 7% 줄어들었으며, 매출 기준으로 따지면 전년 대비 약 1159억원이 감소한 수치다.

이에 따라 최근 시멘트 업계는 '친환경 산업'을 추진하고 있다. 올해 들어 시멘트 업계는 설비투자에 총 3000억원을 투자하고 이 가운데 40%가 넘는 1320억원을 환경과 공해방지 등 친환경 설비구축에 투자하기로 했다고 밝혔다. 이에 따라 폐열 회수시설 등 자원 순환 설비, 미세먼지 감축 설비 확충, 초저발열 시멘트 개발 등으로 괄목할 만한 실적 개선효과를 거둬 주목을 받고 있다.

그러나 '순환자원' 명목으로 추진되고 있던 폐기물 시멘트에 대한 논란은 국내에서 사그라들지 않고 있는 실정이다. 시멘트 업계는 이에 대하여 시멘트 소성로의 높은 온도를 활용하여 각종 생활 및 산업 폐기물을 처리하면 시멘트에 독성물질이 남지 않는다고 주장하지만, 시민단체는 인체 유해성에 대해 여전히 문제를 삼고 있다. 따라서 산업 폐기물로 만드는 시멘트가 과연 '친환경 시멘트'인가에 대한 논란은 국내에서 여전히 뜨겁게 갑론을박 중이다.

해외 사례를 살펴보면 프랑스, 독일, 덴마크, 미국, 캐나다 등 선진국들은 이미 산업 폐기물로 만드는 시멘트를 순환자원의 일환으로 여겨, 이를 '친환경 시멘트'로 인식하고 있다. 'EU 순환경제 패키지'에도 이를 잘 설명해주고 있다.

이에 따라 본 보고서에서는 어느 한 쪽의 입장에 치우치지 않고, 친환경 시멘트 산업의 현황에 대해 객관적으로 살펴보고자 한다. 따라서 시멘트 산업의 개요부터 시작하여, 시멘트의 역사, 시멘트 및 레미콘 업계의 현황, 논란이 되고 있는 친환경 시멘트 문제에 대한 업계의 입장과 시민단체의 입장을 각각 소개하였으며, 그 밖에 기술개발 사례와 해외 시멘트 산업에 대한 분석도 추가하였으니 독자분들은 참고하시기를 바란다.

Ⅱ. 시멘트 산업의 개요

II. 시멘트 산업의 개요

1. 시멘트의 구성

시멘트(cement, 문화어: 세멘트)는 일반적으로 '결합재'로서의 역할을 한다. 가장 중요한 용도는 모르타르와 콘크리트를 만드는 것이며, 이들은 보통 튼튼한 건물을 짓기 위한 골재들을 결합시키는 용도로 쓰인다. 시멘트의 어원은 콘크리트를 닮은 벽돌공사를 묘사하기 위해 "opus caementicium"이라는 용어를 사용한 로마시대까지 거슬러 올라간다. 한국어로 '양회'는 시멘트를 가리키는 순화어이다.

시멘트는 수경성(hydraulic cement) 혹은 비수경성(기경성, non-hydraulic cement)으로 구분하며, 수경성 시멘트를 포틀랜드 시멘트(portland cement), 혼합시멘트(blended cement) 및 특수시멘트(special cement)로 분류한다.[1]

시멘트의 주요원료는 석회석, 점토, 기타 혼합재(응결지연제인 석고나 경화촉진제인 염화칼슘 등)이며, 전형적인 포틀랜드 시멘트의 화학성분을 고려했을 때, 석회(CaO) 약 63%, 실리카(SiO2) 약 23%, 알루미나(Al2O3) 약 6% 및 기타 성분으로 이루진다.

1) 《최신 콘크리트공학》 한국콘크리트학회.

1) 포틀랜드 시멘트

기존의 석고나 석회도 광물을 접착시키는 작용을 가졌지만, 석고로 만든 미술품이 잘 깨어지는 것으로도 알 수 있듯이 도로나 교량을 만들기에는 너무 약한 결점이 있다. 강도가 높은 시멘트를 만드는 일이 시멘트를 공업적으로 이용하는 데 있어 가장 큰 문제점이 되며, 이를 위해 고대부터 석회에 화산재를 섞거나, 점토를 섞는 등의 여러 가지 연구가 행하여졌다.

그리하여 1824년 영국의 애스프딘(J. Aspdin, 1779～1855)은 혼합한 원료를 구움으로써 시멘트를 만드는 데 성공하였다. 지금은 시멘트라 하면 이 애스프딘이 만든 시멘트를 가리킬 정도로 일반화되었다. 이 시멘트는 영국의 포틀랜드섬에서 산출되는 천연석과 색깔이나 형태가 비슷한 데서 포틀랜드 시멘트라 불리게 되었는데, 정확하게는 이것도 시멘트 재료의 하나에 지나지 않는다.

포틀랜드 시멘트의 원료는 석회석·점토가 거의 대부분이고, 약간의 산화철이 첨가되었다. 제조공정 가운데서 중요한 부분은 로터리 킬른(rotary kiln : 回轉窯)이며, 원료가 이 곳에서 약 1,450 ℃ 까지 가열되어 경단 모양의 클링커가 되어 나오며, 이 클링커를 분쇄한 것이 시멘트이다. 그러나 이것만으로는 물에 개었을 때 너무 빨리 굳으므로 토목공사를 하는 데는 불편하다. 이 결점을 보완하여 고화하는 시간을 연장시키기 위해, 클링커를 분쇄할 때 석고를 혼합한다. 이 석고는 여러형태의 황산 칼슘으로 대체될 수 있다.[2]

포틀랜드 시멘트도 여러 종류로 분류될 수 있는데, 3CaO·SiO2를 많이 넣은 것으로, 급한 공사에 알맞은 '조강 포틀랜드 시멘트', 강도는 약간 떨어지지만 앞의 것에 비해 경화속도가 늦고 발열이 적으므로, 댐(dam)과 같은 큰 블록을 만들어도 금이 갈 염려가 없는 '저열 포틀랜드 시멘트', 조강과 저열 시멘트의 중간 성질의 것으로, 가장 많이 쓰이는 종류인 '중용 포틀랜드 시멘트', 포틀랜드 시멘트의 클링커를 분쇄할 때 다른 성분을 섞어 그 성질을 조정할 때 쓰이는 '혼합 시멘트' 등이 있다.

---

2) Michael S. Mamlouk & John P. Zaniewski 2016, 238p

2) 알루미나 시멘트

알루미나시멘트는 유럽에서 속경성 시멘트로서 개발되어 건축물에 많이 사용되었고 세계1.2차 대전 때에는 진지구축 등 긴급 공사용도로 널리 사용되었으나 장기적인 수화물의 전이현상으로 강도가 저하되는 결점이 있어 구조용으로는 사용되지 않고, 알루미나 성분이 높아 고온에서도 경화체가 파괴되지 않는 특성을 이용하여 내화재료인 캐스타블 용도로 사용되며 긴급공사나 몰탈의 조강성을 위한 혼합용도로 사용된다. 알루미나 함량에 따라 40,50,70,80 등으로 분류되며 알루미나 함량이 높을수록 내화도가 높아 고급내화물의 용도로 사용된다.

3) 마그네시아 시멘트

탄산 마그네슘을 가열하여 만든 것으로, 돌이나 모래 등을 접착시키는 시멘트 작용 이외에도 톱밥을 접착시키는 등 목재에 대해서도 시멘트 작용을 한다. 또 다른 시멘트와는 달리 표면에 광택을 낼 수도 있다.

4) 슬레이트

슬레이트 시멘트에 대해 15~20%의 중량비로 석면을 가하여 물로 반죽해서 굳힌 것을 석면 슬레이트라 부른다. 시멘트만으로 굳힌 것은 꺾임이나 잡아당기는 힘에 약하지만, 석면이 더해짐으로써 그 섬유의 힘으로 꺾임이나 인장력에 대한 강도가 높아진다. 주로 지붕이나 벽의 재료로 쓰인다.

5) 기포 콘크리트

시멘트를 물로 반죽하여 굳힐 때, 거품을 생기게 하는 성분을 가하면 다공질(多孔質)의 가벼운 콘크리트가 만들어진다. 이것을 기포 콘크리트라 부르는데, 톱으로 자를 수도 있는 가공성(加工性)이 좋은 재료가 된다. 이 분야에서 새로운 건축재료가 많이 개발되고 있다.

6) 블록과 기와

시멘트와 모래만을 물로 갠 것을 모르타르라 하는데, 이 모르타를 틀에 부어 굳힌 것으로 기와와 콘크리트 블록이 있다. 블록은 모르타르만으로 된 것 외에 속돌(輕石) 등을 섞어 만든 것도 있고, 단열성이 있는 것과 쌓기 편리하다는 이점이 있다.[3)]

2. 세계의 시멘트 역사

인류가 석회를 사용하기 시작한 기원은 정확지는 않으나 결합재로서 석회 사용은 신석기 시대 유적지 Jeriko 발굴중 기원전 7000년전의 것으로 추정되는 석회콘크리트가 발견되고, Yiftahel에서의 석회콘크리트의 발견 등을 고려하면 1000년 이전까지도 거슬러 올라간다.

시멘트의 결합 재료로서 가장 오래된 것은 석고를 구워 만든 소석고(燒石膏)가 있다. 소석고를 이용해 건설된 건축물로는 BC 2500년 경에 건설된 이집트 피라미드가 있다. 피라미드에는 소석고와 모래를 섞은 모르타르를 사용하였으며, 석재의 줄눈에 사용되었다. 이에 사용된 시멘트는 석회석을 구워서 만든 생석회와 석고를 구워서 만든 소석고로, 이것 모두는 기경성(氣硬性)시멘트에 해당한다.

한편, 석회석을 구워 만든 소석회(消石灰)가 시멘트로 쓰이기 시작한 것은 그리스 시대부터로, 고대 그리스에서는 소석회나 산토린(Santorin) 섬에서 나온 화산재를 섞어 모르타르나 물잔 등을 만들었다. 로마에서는 나폴리 만 주위의 베수비우스 산 또는 포조리 마을 근처에서 발견된 화산재를 포조라나(Pozzolana)라고 불렀다.

따라서 그리스, 로마 시대부터 18세기 말까지 소석고, 소석회, 화산재 등을 원료로 수경성 결합체를 만들어 구조물에 사용했다. 1796년 영국의 제임스 파커(James Parker)는 점토 불순

3) 시멘트/위키백과

물을 함유한 석회석 덩어리를 소성한 천연 수경성 시멘트(로만 시멘트)로 특허를 얻었으며, 1813년 프랑스인 비까(Louis Vicat)는 석회석과 점토를 조합한 혼합물을 소성하여 인공적인 수경성 석회를 제조했고, 1816년 프랑스에서 로만 시멘트(Roman cement)라는 것을 사용해서 콘크리트로 만든 대형 교량이 출현했고, 1822년 제임스 프로스트(James Frost)는 영국에서 비슷한 방법을 소개했고, 이후 1824년 영국인 조셉 애스프딘(Joseph Aspdin)은 수경성 모르타르 원료인 결합재를 인공적으로 제작하는데 성공해서, '인조석 제조법의 개량'으로 특허를 얻어 포틀랜드 시멘트라고 불렀다. 애스프딘은 석회석을 구워 생석회를 만들고 이것에 물을 가해 미분말의 소석회를 만든 다음 점토를 혼합하고 다시 석회로에서 800℃까지 소성, 크링카를 생산한 후 미분쇄하여 시멘트를 제조하는 방법을 개발하였다.[4]

1845년 이삭 존슨(Issac Johnson)은 포틀랜드 시멘트의 단점을 대치하여 소괴를 사용하고, 점토와 석회의 적당한 조합비를 결정하는 등 과학적인 근거에 입각한 시멘트계의 공로자이다. 미국에서는 1818년 이미 천연시멘트가 생산되었는데, 1871년 데이비드 세일러(David Saylor)는 포틀랜드 시멘트의 특허를 받았다. 캐나다에서는 1830년에 석회와 수경성 시멘트를 최초로 생산하였고, 1822년 독일에서 슬래그 30% 혼합 고로 슬래그 시멘트가 개발되었으며, 일본에서는 1890년 경 시멘트 생산이 시작되었다.[5]

4) 시멘트의 역사, 한국시멘트협회 http://www.cement.or.kr/
5) 《최신 콘크리트공학》. 한국콘크리트학회.

3. 한국의 시멘트 역사

우리나라의 시멘트 역사는 '석회'가 사용되었던 기록부터 거슬러 올라간다. <동국여지승람>, <임원십육기>등에 석회석 산지가 자세히 조사, 기록 되어 있고, <세종실록지리지>에도 소성석회의 제조법이 설명되어 있는 등 석회가 사용됐음을 알 수 있는 기록을 여러 곳에서 볼 수 있다. <강화도호부조>에 나타나는 기록을 보면 강화의 토산으로는 철린석(鐵麟石)과 암석이 있어 이중 암석을 절단하여 석회를 번조(燔造)했다고 씌어있는데 여기서 암석은 석회석을 말하며 절단하여 번조(燔造)했다함은 석회요(石灰窯)에 넣어 소성했음을 뜻한다.[6]

한국의 시멘트 산업은 60~70년대 경제발전기에 국가기간산업의 역할을 다하며 1980년대부터 해외에 생산 기술을 수출할만큼 인정받아왔다. 또한 연간 6000여만 톤의 생산 규모를 갖춰 시멘트 산업으로 세계 12위를 차지하고 있다. 그러나 2000년대 들어 환경을 망치는 공해 산업으로 낙인 찍히면서 국민 관심사에서 멀어졌다. 하지만 최근 시멘트 산업은 친환경산업으로의 전환기를 맞이하고 있다.[7]

한반도의 첫 시멘트 공장은, 1919년 12월 일본 최대의 시멘트 회사였던 오노다(小野田) 시멘트 회사에서 평안남도 동부군 승호리의 경의선 철로변에 세운 것으로 연간 6만 톤의 생산능력을 갖고 있었다. 이 공장은 제1차 세계대전이 끝나면 일본이 만주 및 중국 시장에 진출할 수

6) 시멘트의 역사, 한국시멘트협회 http://www.cement.or.kr/
7) [기획]한국의 시멘트산업사/아시아경제

있도록 발판을 미리 마련하기 위해 세워졌다.

대한민국 최초의 시멘트 공장은 1942년 삼척 공장으로 8만 톤 규모이며, 1945년 해방 당시 한국내 6개 공장의 생산 능력은 약 170만 톤 정도였다. 그 후 1957년 문경에 대한양회 문경 공장이 준공되었다.

대한민국의 시멘트 공업은 1962년 제1차 경제개발 5개년 계획에 따라 시멘트 산업을 국가기간산업으로 적극 육성하게 되어, 1964년 쌍용, 한일, 현대시멘트가 건설 되었고, 1966년 아세아 시멘트, 1969년 성신양회가 건설되었다. 1971년에는 대한민국의 시멘트 생산능력이 700만톤에 이르게 되었다. 그 후로도 토목사업 위주의 경제성장에 따라 시멘트의 수요는 날로 증가하여 1973년 고려시멘트, 1985년 한라시멘트가 건설되었다. 1997년에는 총 시멘트 생산량이 6,000만 톤으로 역사상 최대치를 보였다.[8)9)10)]

한편, 1963년 7월 1일 현 '한국시멘트협회'의 전신인 한국양회공업협회가 발족하면서 국내 시멘트산업은 국가기간산업으로 그 위치를 굳게 다지고, 성장을 추구할 수 있게 되었다. 또한 국가경제개발에 맞춰 시멘트산업이 성장해 나가기 위해서는 업계 단결의 구심점이 필요하다는데 동양시멘트, 대한시멘트(1975년 쌍용양회에 흡수합병됨), 쌍용양회, 한일시멘트, 현대시멘트 등 5개의 시멘트 회사가 의견을 모았다. 이에 5개사 대표는 시멘트업계의 앞날을 위해 동업자간 대화를 통해 회원사의 권익증대와 친목도모, 국내수요 충족 및 해외시장 진출 등 국민경제에 이바지하고자 협회를 출범시켰다.

한국시멘트협회 관계자는 "1960년대 시작된 경제개발 정책으로 사회간접자본에 대한 투자가 본격화 됐고, 한국시멘트협회의 전신인 '한국양회공업협회'의 출범으로 시멘트산업은 발전 가도를 달리게 된다"면서 "우리나라의 근대화와 산업화 과정은 시멘트산업의 발전과 그 궤를 같이 하게 된다"고 말했다.[11)]

8) 《최신 콘크리트공학》. 한국콘크리트학회.
9) "시멘트의 이해" 한국시멘트협회
10) 라파즈한라 시멘트 주식회사 - 시멘트 이야기
11) [기획]②'경제개발계획' 추진과 '시멘트협회'의 출범(1960~70년대)/아시아경제

Ⅲ.국내 시멘트 산업 분석

III. 국내 시멘트 산업 분석

1. 시멘트·레미콘 업계의 현황

"시멘트 업계부터 레미콘, 건설업계까지 연쇄적 어려움"

시멘트 생산 공정에 필요한 유연탄의 가격이 공급 차질로 인해 천정부지로 뛰면서 시멘트 생산업체부터 레미콘 업체, 건설업계까지 연쇄적으로 어려움을 겪고 있다.

한국자원정보서비스(KOMIS)에 따르면 2022년도 4월 기준 칼리만탄산 유연탄 1톤 가격은 197.6달러로 전년 동기(87.88달러) 대비 125% 뛰었다. 같은 기간 호주산 유연탄의 가격은 108.35달러에서 502.3달러로 5배 가까이 증가했다.

시멘트는 석회석을 토대로 만든다. 유연탄은 시멘트 공정 중 하나인 소성 공정에 필요한 원료다. 소성 공정은 분쇄된 시멘트 원료를 1450도로 가열해 시멘트 반제품인 '클링커'를 제조하는 공정을 말한다.

한국은 유연탄 수입국 비중이 호주(54.1%)가 가장 많지만, 시멘트 업계에서는 호주산보다 저렴한 러시아산을 많이 찾는 것으로 알려졌다. 한국무역협회 조사에 따르면 2021년 국내 시멘트 업체의 유연탄 수입 러시아 의존도는 71.5%로 나타났다.

문제는 우크라이나 전쟁과 2022년 초 인도네시아의 석탄 수출 금지로 유연탄 글로벌 공급망에 차질이 발생하면서 가격이 급등하고, 충분한 물량을 확보하기 어려워졌다는 점이다. 업계 관계자는 "아직까진 러시아산 유연탄의 국내 수입이 큰 문제없이 진행되고 있지만, 국제 제재나 전쟁 여파로 인한 불확실성이 큰 상황"이라며 "업계의 우려가 크다"고 말했다.

유연탄 공급 차질은 시멘트 생산량 감소로 이어졌다. 현재 시멘트 업체들의 재고량은 70만 톤으로 적정재고량 100만 톤의 70% 수준이다. 시멘트 부족 현상으로 레미콘 업체들의 사일로에 시멘트가 충분히 채워지지 않으면서 시멘트를 차량으로 옮기는데 소요되는 시간도 늘었다. "사일로에 시멘트가 꽉 차 있어야 하중에 의한 압력이 발생해 레미콘 차량에 시멘트를 빠르게 채울 수 있다"면서 "시멘트 부족으로 생산성 저하 현상이 벌어지고 있다"는 게 업계 관계자의 설명이다.

시멘트 부족과 레미콘 이용 가격이 오르면서 건설 현장에도 어려움이 가중되고 있다. 동절기가 2022년 4월부터는 건축 공사가 본격화되는데, 시멘트 단가 인상으로 공사를 중단한 업체들이 늘고 있는 것이다. 2022년 4월 20일까지 건설 현장 800여 곳이 시멘트 원가 상승 부담으로 공사를 중단했고, 이 중 200여 곳은 무기한 중단을 한 상태다. 시멘트 업계는 2022년 3월부터 수출 물량의 50% 이상을 내수로 전환하고, 소성로 추가 가동을 통해 증산을 추진하고 있지만 수급난을 해소하긴 역부족인 것으로 전해졌다.

이와 관련, 업계에서는 시멘트 증산을 위해 '온실가스 배출권 추가 조정', '질소산화물 배출부과금 한시적 유예' 등의 규제 완화가 필요하다는 목소리가 나온다. 유연탄 등 원자재 가격이 급등하며 생산 비용이 증가한 만큼, 환경 규제를 다소 완화해 비용을 줄일 수 있도록 하자는 것이다. 이에 산업통상자원부 담당 부서와 환경부 간 실무급 협의를 진행했으나, 환경부 측은 어렵다는 입장을 고수한 것으로 전해졌다. "유가 및 원자재 가격 문제는 시멘트 업종뿐만 아닌 모든 산업 영역의 문제로, 특정 산업군에만 규제를 완화하는 것은 부적절하다"는 게 환경부 측 입장이다.

따라서, 글로벌공급망분석센터 측은 "시멘트와 요소수 사태에서 보듯이 직접적인 품목 분석만으로 드러나지 않는 간접 효과에 따른 공급망 위험 요소가 곳곳에서 나타나고 있다" "환경 규제 완화를 통한 증산 추진 등 단기적 대응과 중장기 전략을 수립하기 위한 관련 업계와 정부의 협력이 필요해 보인다"고 했다.[12)]

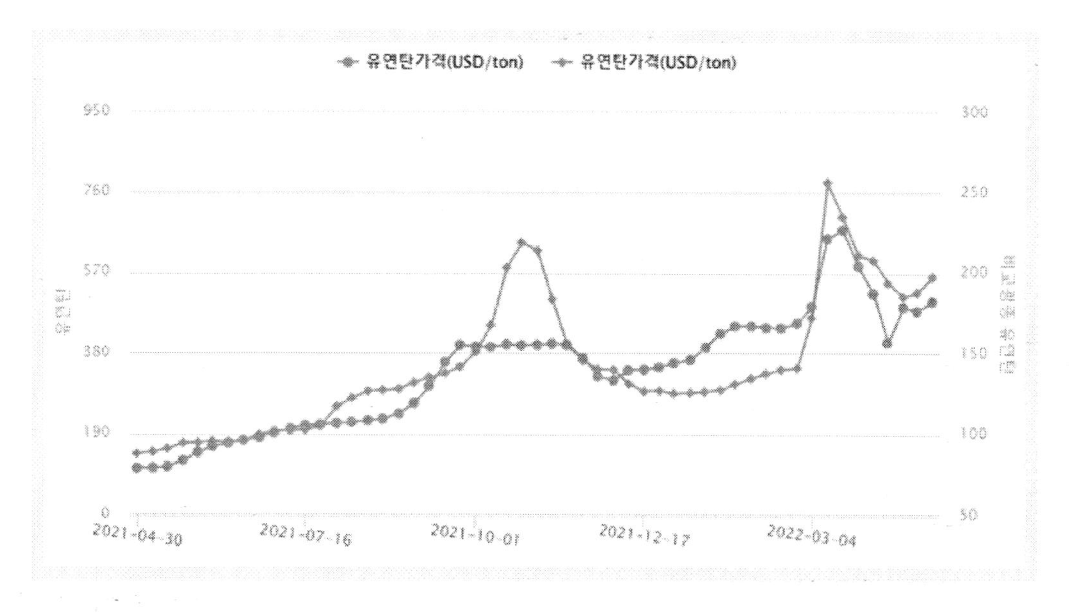

그림 7 호주산 유연탄(파란색)과 칼리만탄산 유연탄(빨간색)의 가격추이

12) 조선비즈 '가격 천정부지 유연탄 시멘트-레미콘-건설업계 연쇄 영향'

"지역자원시설세 입법 재추진에 이중과세 논란"

시멘트 업계에서는 현재 '지역자원시설세'가 화두로 떠오르고 있다. 일명 '시멘트세'라고 불리는 지역자원시설세 입법이 재추진되고 있는 것이다. 이에 따라 시멘트 업계는 코로나19에 따른 업황 부진으로 어려움을 겪는 상황에서 지역자원시설세 부과 움직임까지 더해지면서 이중고가 더욱 심화된다고 호소했다.
관련 업계에 따르면 강원도는 시멘트 생산 공장이 있는 시·군에 더 많은 재원이 배분되는 것을 골자로 한 시멘트 지역자원시설세 입법을 추진한다.

입법안은 시멘트 생산 공장으로 피해를 입은 관련 지역 주민들을 위해 시멘트세를 통해 세원을 확보한 뒤 이 중 65%는 해당 시·군에, 35%는 도에 돌아가도록 하는 내용을 담고 있다. 이를 바탕으로 주민 건강 증진 및 피해 복구 사업에 자율적으로 사용되도록 한다는 방침이다.

강원도·충북도는 2020년도 시멘트 지역자원시설세 신설을 위해 공동건의문을 채택하기도 했다. 또한 공동건의문을 통해 "환경오염과 시멘트 업체의 이익에도 불구하고 강원도·충청북도의 6개 시 군 주민들은 여태껏 아픈 줄도 모른 채 지내왔다"며 "관련 법 개정이 4년째 국회에 계류 중으로 2021년 4월 최종 결정하기로 합의했으나 수개월이 지난 현재까지 논의도 없다"고 밝힌바 있다.

이와 같이 시멘트 지역자원시설세 신설을 내용으로 하는 지방세법 개정 법안은 시멘트 생산량 1톤당 1천원(1포 40㎏당 40원)을 과세하는 내용을 골자로 2016년 9월 발의됐으나, 경영난 등을 이유로 시멘트 업계와 산업부의 반발로 4년째 국회에 계류 중이었다.[13]

이에 따라 강원도는 이번 법안 신설을 위해 시멘트 생산에 따른 '외부불경제'(의도하진 않았더라도 제3에게 피해를 주면서 합당한 대가를 치르지 않는 현상) 효과를 입증하기 위해 구체적인 피해 내용과 범위, 피해 지역 주민에 대한 재정 지원 방안 마련을 위한 연구 용역도 진행한다는 입장이다.

그러나 시멘트 업계는 지역자원시설세 입법 재추진 소식에 기본적으로 '이중과세'라는 입장을 유지하고 있다. 업계 한 관계자는 "시멘트에 대한 지역자원시설세 부과는 원료인 석회석에 이미 세금을 부과하고 있는 상황에서 완성품에 다시 한 번 세금을 매긴다는 취지여서 이중과세이며 과세 형평에도 어긋난다"며 "시멘트세가 신설되면 업계 전반에 연간 500억 원 가량의

13) 충북·강원도, 시멘트 지역자원시설세 신설 공조/중부매일

추가세 부담이 더해져 업체들의 경영난이 심화하고 산업 발전에도 악영향을 미칠 수밖에 없다"고 말했다.[14]

"수출 및 내수 부진 상황에도 친환경 설비에 1320억 원 투자"

시멘트업계가 수출 및 내수 부진, 신종 코로나바이러스 감염증(코로나19)으로 최악의 부진 늪에 빠진 가운데 친환경 신사업으로 불황 탈출의 돌파구를 마련하고 있다. 시멘트 업계는 건설경기 침체로 지난 2017년 이후 내수 판매 비중이 줄어들었다. 그러나 친환경 설비투자는 오히려 늘려온 것이다. 2020년도에 들어서 시멘트 업계는 설비투자에 총 3000억 원을 투자하고 이 가운데 40%가 넘는 1320억 원을 환경과 공해방지 등 친환경 설비구축에 투자하기로 했다고 밝혔다. 이에 따라 폐열 회수시설 등 자원 순환 설비, 미세먼지 감축 설비 확충, 초저발열 시멘트 개발 등으로 괄목할 만한 실적 개선효과를 거둬 주목을 받고 있다.

시멘트업계에 따르면 2020년 설비투자에 총 3057억 원을 투입 계획이며, 특히 최근 강화된 환경규제(공해, 환경 · 안전) 대응 차원에서 합리화 설비투자를 확대할 전망이다. 시멘트 업계는 합리화 설비 투자비용이 전체 투자비의 69.0%(2632억 원)를 차지했다고 밝혔다.

또한 이 가운데 절반가량인 1320억 원이 환경 분야에 투입될 예정이다. 시멘트업계의 최근 5년 평균 합리화 설비투자의 43% 정도가 환경투자였고, 2020년에는 49.5%로 늘어났다고 언

14) 코로나19에 '시멘트세' 재추진까지…시멘트 업계 '이중고'/MTN 머니투데이방송

급했다.

이와 같이 시멘트업계는 환경투자를 꾸준히 늘리고 있다. 최근 5년간 시멘트산업의 환경투자가 포함된 설비투자 규모는 연평균 3122억 원에 달했다. 비금속광물업종(시멘트 、석회 、유리 등) 가운데서도 시멘트산업의 설비투자 비중은 연평균 21.2%로 가장 높았다.

"너도나도 친환경 설비 늘려"

쌍용양회는 2018년 9월 국내 최대인 1100억 원대 규모의 친환경 폐열발전 설비(열을 밖으로 배출하지 않고 회수해 전력 생산)를 가동하였으며, 2018년 12월에는 친환경 순환자원 설비에도 수백억 원을 투자했다. 또한 심야 시간 전력을 충전했다가 낮에 활용할 수 있도록 국내 최대 규모인 22MWh급 에너지저장장치(ESS)도 설치·운영하는 한편, 노후화된 킬른(거대한 원통형 가마) 버너 교체, 쿨러(냉각장치) 개조 등으로 생산효율도 높였다. 쌍용양회의 친환경 경영은 실적 향상으로 이어져 2020년 1분기 영업이익(잠정) 307억 원을 달성했다.

성신양회는 온실가스 저감을 위해 소성로(燒成爐·가마)에서 나오는 고온의 폐열을 연료 및 분쇄공정에 재사용하고 있다. 2019년 초에는 환경부와 협약을 맺고, 미세먼지 감축에도 적극 나서고 있다. 특히 비산먼지(대기 중에 흩어지는 먼지)와 미세먼지 감축을 위해 노면 청소차로 공장 주변 도로 청소를 수시로 진행하는 등 자체 정화활동을 벌이고 있다.

한일시멘트도 지속적인 시설투자를 통해 기존의 대형 전기집진기(Electrostatic precipitator)를 최첨단의 여과 집진기(Back House)로 교체했다. 사업장 내에 240여 기의 최신집진 시설을 설치, 24시간 대기로 배출되는 먼지를 집진하고 있다. 비산먼지 확산 방지를 위해 시멘트 운송 차량의 바퀴를 씻는 세륜 시설도 확대 설치·운영하고 있다.

삼표도 2019년 3월 '산업·생활 폐기물을 시멘트 대체재로'하는 친환경 사업 확장을 선언하고, 자원 재활용 전문기업을 설립해 화력발전소나 제철소에서 발생한 부산물을 활용해 콘크리트 혼합재를 생산하고 있다.[15)]

---

15) '친환경 투자' 발상 전환… 시멘트 업계, 깜짝 실적/문화일보

한편, 시멘트업계의 내수 공급은 2017년 5670만t 으로 정점을 찍은 후 2018년 5120만t, 2019년 4945만t 으로 줄었다. 업계는 2020년 내수 공급이 4550만t 으로 전년보다 8.0% 정도 감소할 것으로 예상하고 있다.[16)]

"친환경 시멘트설비는 투자세액 공제 대상"

한편, 정부는 시멘트 업계의 친환경 설비 투자에 대해 긍정적으로 바라보고, 지원 정책을 실행한다는 입장을 밝혔다. '청정생산설비'는 생산공정에 투입되는 에너지를 저감하거나 생산 후 배출되는 폐기물·오염물질 등을 원천적으로 저감하는 '친환경 생산설비'를 뜻하는데, 정부는 그동안 이러한 청정생산설비에 대해 기업의 투자자금 관련 세금 중 일정 금액을 감해 주는 투자세액공제 혜택을 실시해왔다. 그런데 이번 청정생산설비 범위가 반도체·전자·시멘트 등 제조업체로 확대되었다는 소식이 전해졌다.

산업통상자원부는 조세특례제한법상 투자세액공제 대상이 되는 청정생산설비 범위를 12개 업종·74개 설비에서 16개 업종·139개 설비로 대폭 확대·고시한다고 밝혔다. 자동차, 철강, 석유화학 등 기존 12개 업종도 45개 설비를 추가 대상으로 선정했다.

이번 고시 개정을 통해 ▲반도체 ▲시멘트 ▲전자 ▲전기, 가스, 증기 및 공기조절 공급업 등 4개 업종·20개 설비(친환경 반도체 제조설비, 에너지절약설비 등)가 세액공제대상으로 확대되었으며, 주요 추가 설비를 유형별로 보면 ▲자원 전략 관련 설비 ▲에너지절약 설비 ▲폐기물·폐수 발생 저감설비 ▲유해물질 사용저감 설비 ▲대기오염물질 발생저감 설비 등이 있다. 투자세액공제 대상으로 추가된 청정생산설비는 기업 규모에 따라 3~10%까지 세액에서 공제된다. 또한 중소기업은 10%, 중견기업이 5%, 대기업이 3% 세액공제를 받는다. 이에 대하여 산업부는 "미세먼지, 온실가스와 오염물질 저감 등 제조업의 친환경화를 위해 기업의 자발적인 투자가 확대되는 계기가 되기를 기대 한다"고 밝혔다.[17)]

---

16) 시멘트업계, 친환경 설비에 1300억원 투입/아시아경제
17) 반도체·전자·시멘트 친환경생산설비에 '투자세액공제'/조선비즈

"국내 시멘트 업계, EU기준 1급 발암물질 최대4배"

환경부 산하 국립환경과학원이 최근 국내 주요 시멘트 제품 내 6가 크롬 농도를 유럽연합(EU) 기준에 따른 유럽시험법(EN196-10:2006)으로 분석한 결과 EU 법적 기준치보다 적게는 2배, 많게는 4배 이상 검출된 것으로 나타났다. 현재 우리나라는 13년 전 시멘트업계의 자발적 협약으로 마련된 안전기준에 따라 14년째 모니터링해 국내 시멘트 제품에 대한 '문제 없음' 판단을 내리고 있는데, EU 기준을 적용할 경우 문제가 상당하다는 게 이번에 새로 확인된 것이다.

국립환경과학원이 의뢰해 국내 시멘트 3개사(삼표·쌍용·한라시멘트) 제품 내 중금속 농도를 EU 방식으로 분석한 결과 삼표 시멘트 제품은 1kg당 9.02mg의 6가 크롬이 검출됐다. EU 법적 허용기준인 'kg당 2.00mg'의 4.5배 수준이다.

쌍용시멘트 제품은 1kg당 4.96mg, 한라시멘트는 4.91mg이 나왔다. 이들 또한 EU 기준치의 2.5배 가까운 양이다.

그러나 그간 환경부는 이들 제품에 대해 2009년 시멘트업계의 자발적 협약에 따라 한국시험법(KS L 5221)으로 6가 크롬을 측정해 안전성에 문제가 없다는 판단을 내려왔다. 한국시험법에 따른 6가 크롬 검출량은 삼표의 경우 1kg당 17.66mg, 쌍용은 7.36mg, 한라는 1kg당 10.79

mg였다. 우리 자발적 협약 기준값인 'kg당 20.00mg'에 한참 미달하는 수치다.

한국시험법은 시멘트 제품을 물에 녹여서 용출되는 6가 크롬을 측정하는 식이다. 유럽시험법은 시멘트와 모래를 물로 반죽한 모르타르를 대상으로 수용성 6가 크롬 검출량을 확인한다. 국립환경과학원 관계자는 "한국시험법은 시멘트 제품 안에 있는 6가 크롬만 보자는 차원에서 구성된 것"이라고 설명했다.

이번에 국내 시멘트 제품에서 EU 기준치를 크게 초과한 6가 크롬이 검출된 만큼 기존 국내 기준을 강화할 필요가 있어 보인다. 실제 건설현장에서 시멘트 노출에 따라 6가 크롬이 원인으로 추정되는 피부질환이 발생하고 있는 상황이기에 더 신속한 조치가 강구돼야 하는 상황이다. 더욱이 6가 크롬 검출 원인으로 추정되는 시멘트 생산 중 폐기물 사용이 계속 늘어나고 있다. 2020년 기준 시멘트 생산량 대비 폐기물 사용량 비중은 17%까지 증가했다.

정부는 현재 6가 크롬 관련 기준을 강화하는 방안을 논의 중이다. 국립환경과학원이 다양한 방법으로 진행한 분석결과를 환경부에 제출한 것으로 알려졌다. 환경부는 이들 자료를 토대로 기준 강화가 시멘트업계에 미칠 경제적 파급효과 등을 고려해 적정 기준을 내부적으로 검토하고 있는 것으로 전해졌다.[18]

18) 세계일보 '국내 시멘트 제품, EU기준으로 실험했더니 1급 발암물질 최대4배'

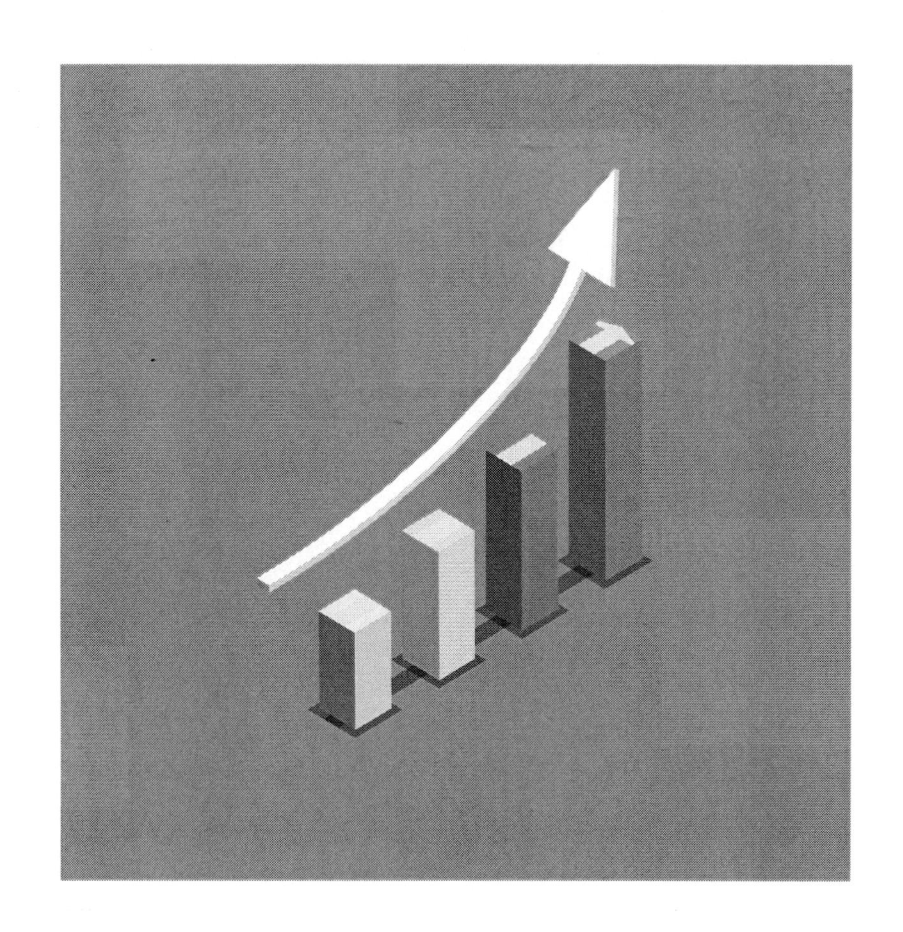

"시멘트가격 인상 효과로 실적 반등 가능성"

시멘트업계가 유연탄 가격 급등의 직격타를 맞았다. 원가 부담이 크게 늘며 수익이 대폭 줄었기 때문이다. 원자재발 인플레이션이 지속되는 상황에서 연료 대체, 판매단가 인상 등 시멘트업계가 긴급히 강구한 대책들의 효과가 본격화해야 실적 개선도 가능할 것이란 관측이다.

금융감독원 전자공시에 따르면 국내 최대 시멘트기업 쌍용C&E는 2022년 1분기 연결 재무제표 기준 매출액 3,762억 원, 영업이익 4억 원을 기록했다. 매출액은 전년 동기 대비 12% 늘었지만 영업이익은 99% 급감했다.

쌍용C&E 관계자는 "시멘트 수요 증가에 따라 매출액은 늘었지만 유연탄 가격 폭등, 기타 원부자재 가격 급등으로 원가가 상승하며 영업익은 크게 줄었다"고 말했다.

유연탄은 시멘트 생산을 위한 필수 원료로 원가의 30% 이상을 차지한다. 지난 2020년 톤당 평균 60달러 중반 수준을 유지했던 국제 유연탄 가격은 지난해 평균 130달러로 2배 이상으로 뛰었다. 2022년에 들어서는 3월 기준 평균 300달러로 2021년보다 역시 2배 이상 급등했고,

러시아와 우크라이나 간 전쟁 발발 이후엔 최고 427달러까지 치솟기도 했다.

아직 1분기 실적을 발표하지 않은 다른 시멘트기업들의 상황도 크게 다르지 않을 것이란 관측이다. 금융정보업체 와이즈에프엔에 따르면 한일시멘트의 2022년 1분기 연결 기준 실적 컨센서스(증권가 전망치 평균)는 매출액 2,820억 원, 영업이익 140억 원으로 집계됐다. 전년 동기 대비 매출액은 8% 늘지만 영업이익은 8% 감소할 것이란 전망이다. 삼표 시멘트와 아세아시멘트도 호조세를 보였던 2021년 실적의 기저효과로 감익이 불가피했을 것으로 추산된다.

국제 원자재 가격 상승세가 지속되는 등 당분간 부정적인 대외 영업환경이 지속될 것이란 전망에 시멘트업계는 긴급히 대책 마련에 나선 상황이다. 단기적으로는 시멘트 판매단가를 인상했고 장기적으로는 유연탄을 대체할 수 있는 순환자원 설비구축에 투자를 집중하고 있다.

쌍용C&E는 오랜 기간 누적된 제조원가 상승요인을 내부적으로 감내하기 어려운 상황에 왔다는 판단에 따라 2022년 4월부터 출하되는 시멘트의 가격을 톤당 9만800원으로 종전 대비 약 15% 올렸다. 2021년 하반기 약 5% 인상한 데 이은 두 번째 인상 조치였다. 이처럼 인상된 시멘트 가격이 2022년 2분기부터는 본격 반영되면서 실적이 보다 개선될 것이란 분석이 나온다.

새롭게 출범한 윤석열 정부의 부동산 정책 방향성도 시멘트 업계의 실적 기대감을 갖게 하는 한 요인이다. 주택 공급 확대 등 새 정부의 부동산 정책 기대감은 속도 조절 가능성이 제기되면서 여전히 불확실성이 남아있지만, 공급 확대라는 방향성 자체는 유효하다는 것이 시장의 대체적인 시각이다.[19)]

19) MTN뉴스 '유연탄 실적쇼크 덮친 시멘트업계, 반등은 언제?'

"요진건설 산업, 미얀마 시멘트 시장 진출"

요진건설산업이 베트남에 이어 미얀마 시멘트 시장 개척에 나선다는 소식을 전했다. 도로·다리 등 사회간접자본(SOC) 투자가 이제 한창 시작되는 개발도상국 미얀마는 일반 시멘트보다 강도가 높은 '슬래그 시멘트'에 관심이 높은 것으로 알려졌다.

요진건설은 요진시멘트를 설립하고 미얀마 틸라와 특별경제구역 10만㎡에 시멘트공장을 설립한 바 있다. 총 투자액은 약 1000억 원으로 국내 기업 중 세 번째이고, 중견기업으로는 가장 큰 규모다. 해안에 인접해 원료·완제품 수출입이 용이하고 독일산 분쇄설비와 이탈리아산 포장설비 등 최신 설비로 무장해 미얀마 현지 최고의 공장으로 소문났다. 총 생산가능 용량은 연 100만t 규모로 올 들어 일반 시멘트를 50만t가량 생산했으며 슬래그 시멘트도 언제든지 생산이 가능할 수 있게 준비를 마쳐둔 상태다.

이에 따라 요진건설의 현지 자회사인 요진시멘트는 '슬래그 시멘트 기술세미나'를 개최했고, 미얀마 건설부 장차관을 비롯해 현지 건설·시멘트업계 관계자, 현지 진출 한국 건설·금융업계 종사자 등 250여 명이 참석해 높은 관심을 나타냈다.

슬래그는 철광석에서 철을 추출하고 남은 부산물을 말한다. 일반 시멘트 원료인 클링커와 비교해 슬래그를 배합해 사용했을 때 시멘트 강도가 훨씬 높아진다. 이 때문에 도로나 교량 등 SOC 토목공사에 유리하다. 현지에선 한국이 대외경제협력기금(EDCF) 약 1600억 원 지원을 통해 건립 중인 양곤과 달라를 잇는 `달라브리지(우정의 다리)`에 요진건설의 슬래그 시멘트가

사용될 가능성이 높다고 보고 있다. 한편, 요진그룹은 미얀마에서 중장기적으로 아파트 건설 사업 진출도 검토하고 있는 것으로 알려졌다. 이는 중견 건설사로서 첫 해외 진출이자 시멘트 산업도 처음이지만 미얀마의 성장성을 내다본 과감한 투자다.[20]

"저탄소 인증 제품, 공공기관 의무 구매 품목"

[저탄소 인증마크]

정부는 2030 국가 온실가스 감축목표와 2050 탄소중립 달성을 위한 산업부문의 주요 감축수단으로 시멘트 산업에서의 폐합성수지 등의 폐기물 연료 및 원료 전환을 꼽고 있다.

이는 그동안 시멘트 업계에서 지속해서 주장한 것과 맥을 같이 하고 있다. 또한 시멘트 소성로는 1천500℃ 이상의 고온으로 폐기물을 완전 연소시켜 오염물질을 발생하지 않는다고 시멘트업계는 홍보하고 있다.

앞서 언급한 내용만 본다면 시멘트 산업의 폐기물 사용은 가장 합리적인 대안이며, 시멘트 소성로를 폐기물 처리시설로 운영하고, 기존의 폐기물 소각시설은 폐쇄함이 타당하다. 그러나 지나치게 긍정적인 측면만 부각하고, 질소산화물, 중금속 등의 대기오염물질을 과다 배출한다는 부정적인 측면은 감추어져 있다. 시멘트 산업이 국가 기간산업이므로 그 중요성은 부인할 수 없지만, 면죄부는 줄 수 없다.

---

20) 미얀마 시멘트시장 개척나선 요진건설/매일경제 MBN

첫째, 시멘트 산업에서 폐합성수지 등의 폐기물 연료 및 원료 사용이 과연 온실가스 감축에 기여 하는가라는 질문의 답을 찾을 필요가 있다. 시멘트 소성로의 온실가스 산정지침에 따르면 시멘트 소성로의 기존 연료인 유연탄을 1kg 사용하는 경우 온실 가스는 이산화탄소 기준 2.27kg 배출하는 것으로 나타났다. 폐타이어와 폐 고무를 소성로 연료로 사용하는 경우 오히려 온실가스 배출이 더 나오지만, 폐합성수지는 1kg 소각하는 경우 이산화탄소 2.15kg을 배출하는 것으로 유연탄을 사용하는 것보다 다소 낮게 나온다.

반면에 소각로의 온실가스 산정지침에 따르면 폐합성수지는 2.35kg으로 오히려 폐합성수지를 소성로 연료로 사용하면 온실가스 배출이 더 나온다. 그러므로 폐합성수지를 시멘트 소성로의 대체 연료로 사용함이 온실가스 배출이 과연 줄어들지는 논란의 여지가 있다. 따라서 폐목재를 소성로 연료로 사용하는 경우에만 온실가스 배출이 확실히 적다고 할 수 있다.

폐목재를 연료로 사용하면 온실가스 배출은 낮으나, 발열량이 낮으므로 많은 양을 투입해야 하고, 미세먼지 발생이 높은 단점이 있다. 그러므로 시멘트 산업에서 폐기물 연료 사용을 주요 온실가스 감축수단으로 기정사실화하는 것은 재고할 필요가 있다. 또한, 시멘트 업계가 플라스틱 등 물질재활용이 가능한 폐기물까지 연료로 사용하여 폐기물의 지속가능한 관리에도 바람직하지 못하다.

둘째, 시멘트 산업에서 폐기물을 연료로 사용함이 대기오염물질 배출이 적은가라는 질문에 답할 필요가 있다. 최근 연구에 따르면 시멘트 업종에서의 폐기물 연료 사용으로 인한 대기오염물질 배출이 심각한 수준이다.

그러나 시멘트 업종은 폐기물의 에너지 재활용시설로 분류되어 있으며, 대기오염물질 배출허용기준이 소각시설보다 상당히 완화되어 있다. 시멘트 소성로에 완화된 기준 적용으로 인해 소성로의 배가스 후처리 설비가 소각로보다 훨씬 빈약하여 대기오염물질 배출량이 높다.

폐기물 소각전문업계에 비해 먼지는 14.8배, 질소산화물은 무려 28.9배나 높아 폐기물 소각전문업계에 비해 대기오염물질 관리가 부실하다. 그러므로 시멘트 업계에서 폐기물을 연료로 사용한다면 기존의 폐기물 소각업계에서 적용하고 있는 관리기준을 그대로 적용함이 타당하다.[21]

21) 아이뉴스24 '시멘트업계의 폐기물처리, 문제는 없는가'

"저탄소 콘크리트 개발에 뛰어든 시멘트·레미콘 업계"

국내 시멘트 및 레미콘 업계는 '저탄소 콘크리트' 인증을 획득하기 위해 기술 개발에 박차를 가하고 있는 것으로 전해졌다. 2020년 하반기부터 **'녹색제품 구매촉진에 관한 법률(녹색제품 구매법)'** 개정안이 시행되면서 **공공건축물에 사용하는 건축자재와 철골 구조물 등도 저탄소 인증 제품 구매가 의무화** 돼 '친환경 콘크리트 제품'에 대한 수요가 크게 늘어날 것으로 전망되고 있다. 과거 일정 규모 이상의 공공건축물을 건축할 때 친환경 콘크리트 제품을 사용하지 않아도 무방했지만 이제는 반드시 친환경 콘크리트를 사용해야 하는 것이다.

이 법을 근거로 모든 공공건축물은 '녹색건축인증(G-SEED)' 심사를 받는데 1단계 환경성적표지 인증이나 2단계 저탄소 인증을 받은 콘크리트를 사용하면 더 높은 점수를 받는다. 1단계 인증 제품은 +4점, 2단계 인증 제품은 +6이 가점된다. 보통 74점 이상이면 1등급, 50점 이상이면 4등급 인증을 받는다.

또한 녹색건축물 1등급 인증을 받으면 용적율과 조경면적 등 건축물 기준 12% 완화, 취득세와 재산세 각각 15% 감면, 조달청 입찰참가자격 사전 심사 때 가점 부여 등 다양한 혜택을 받는다. 이 때문에 3000㎡이상의 공공건축물에만 적용되던 녹색제품 구매법은 현재 건물의 규모에 상관 없이 전국 대부분 공공건축물과 민간건축물에도 확대 적용되는 추세다.

이에 따라 콘크리트 제품의 2단계 저탄소 인증을 위한 레미콘 업계의 발걸음이 바빠지고 있다. 국내에서는 유일하게 유진기업이 2단계인 저탄소 제품 인증을 받았다. 그 외 레미콘 업계에서는 삼표, 아주산업 등 70여개 업체가 11개 레미콘 규격의 1단계 탄소발자국 인증을 받았다.

유진기업은 2018년 업계 최초로 '25-24-150'과 2019년 '25-21-150' 레미콘 규격에 대해 저탄소제품 인증을 획득했고, 지난 2월 '25-27-150', '25-30-150', '25-35-150' 등 3개 규격에 대해서도 추가 인증을 획득해 모두 5개의 저탄소제품과 1개의 탄소발자국 제품을 보유하고

있다.

2단계 규격 제품 인증을 받지 못한 업체들은 발걸음을 서두르고 있다. 삼표그룹은 탄소배출량을 줄일 수 있는 기술은 갖춘 것으로 평가받고 있다. 이르면 9~10월께 2단계 저탄소 인증을 받을 수 있을 것으로 보인다. 4개 규격에 대해 1단계 인증을 획득하고 있다.

아주산업도 4개 규격에 대해 1단계 인증을 받았고, 현재 2단계 인증을 받기 위한 준비작업을 서두르고 있다. 한일시멘트(1단계 인증 7개 규격), 세화산업(6개), 쌍용레미콘(6개), 드림레미콘(6개) 등도 2단계 저탄소 인증을 받기 위해 분주하게 움직이고 있다.[22)]

---

22) '저탄소 콘크리트 인증' 서두르는 레미콘사/아시아경제

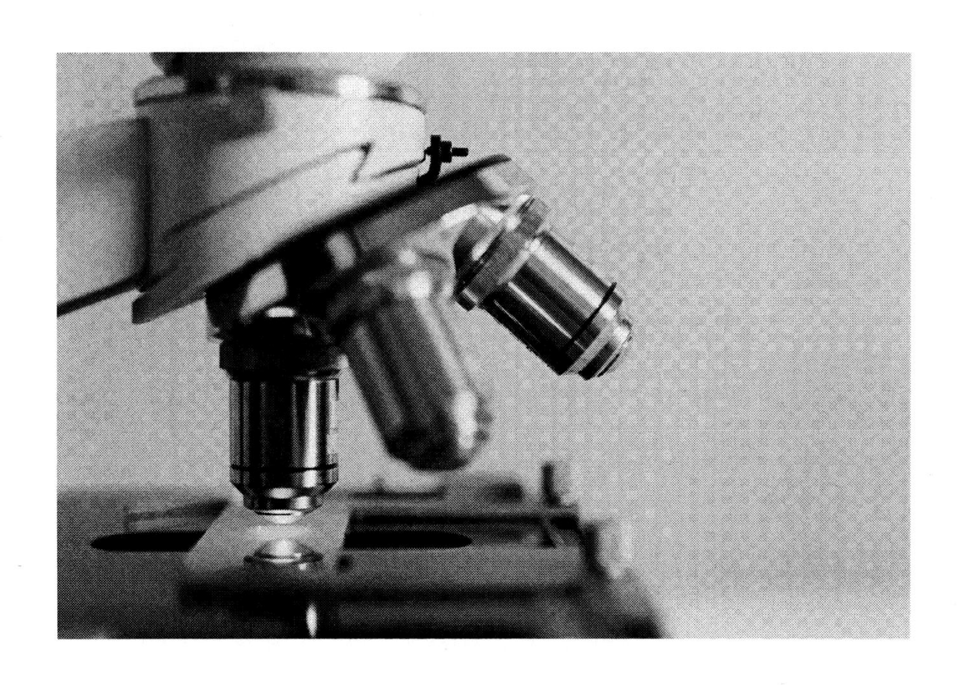

"박테리아 이용한 콘크리트 기술 개발"

'녹색제품 구매촉진에 관한 법률'이 개정되면서 친환경 건축은 이제 선택이 아닌 필수가 되었다. 경기대학교 건축공학과 친환경 건축구조·재료 연구실은 콘크리트와 나노 및 바이오 기술을 융합한 '박테리아 슬라임을 이용한 생태학적 콘크리트 코팅 기술'을 개발하고 상품화하는데 집중하고 있다.

이 기술은 유지관리가 어려운 하수관거(여러 곳의 하수를 모아 하수처리장까지 보내는 큰 하수관)와 같은 지하구조물이나 항만시설 같은 해양구조물의 내구성 개선에 활용되고 있다. 콘크리트에서 박테리아의 지속적 생장과 번식을 유도함으로써 생태학적 유지관리가 가능하여 건설 인력 노령화 및 부족 문제에도 대응할 수 있다. 이는 경기대 건축공학과 친환경 건축구조·재료 연구실과 미생물 연구팀이 융합하여 환경과 건강을 고려한 새로운 콘크리트 기술 개발에 주력한 결과다. 2010년 교육과학기술부로부터 이달의 과학기술자상 수상의 성과도 얻었다.

이뿐만 아니라 연구팀은 안전하면서도 지속가능한 '프리캐스트 경량 콘크리트 기술', 쉽게 적용이 가능한 '구조물 내진보강 기술' 실용화에도 집중하고 있는 것으로 알려졌다. 연구팀은 내진보강 기술은 도시재생 사업에서 안전성을 담보하는 기술로 적용받을 수 있게끔 추진하고 있다고 덧붙였다.[23)]

---

23) 친환경 콘크리트 기술 상용화로 미래건축 선도/여성동아

"쌍용C&E, 가격 낮춰 레미콘업계와 상생발전"

쌍용C&E는 어려운 경영여건에 처한 레미콘업계와 고통을 분담하고 지속적인 상생발전을 모색하기 위해 시멘트 판매가격을 당초 요구보다 낮춰 한국레미콘공업협동조합연합회와 1종 시멘트 판매가격을 기존 7만8800원에서 1만2000원 인상된 9만800원, 슬래그 시멘트는 기존 7만1900원에서 8만3000원으로 인상한 가격에 공급하기로 합의했다. 조정된 금액은 2022년 4월 출하량부터 적용된다.

앞서 쌍용C&E는 레미콘업계에 1종 시멘트를 2022년 2월 출하량부터 기존보다 18% 인상된 톤당 9만3000원으로 판매가격 인상안을 제시한 바 있다. 제조원가의 40% 가량을 차지하는 유연탄이 1년 만에 가격이 3배 이상 폭등했고, 요소수 공급량 부족으로 5배 가량 높아지는 등 누적된 원가 상승요인을 내부적으로 감내하기 어려운 한계상황에 직면했다는 이유에서다.

특히, 유연탄은 판매가격 인상안을 9만3000원으로 제시한 이후에도 우크라이나 사태와 폭우로 인한 호주의 공급 부족 사태까지 더해지면서 2022년 3월에는 한 때 사상 최고가인 422달러까지 급등했고, 최근에도 330달러를 넘어서는 등 꾸준한 상승세를 이어가고 있다.

쌍용C&E는 2022년 4월부터 한국레미콘공업협동조합연합회와 수 차례 만남을 갖고 가격 조정에 나섰다. 회사 측은 레미콘업계가 각종 원자재 가격 상승으로 어려운 상황에 처해있다는 점을 감안했다. 결국, 고통을 분담하는 동시에 양업계간 지속적인 상생발전을 도모하기 위해 당초보다 인상시기와 인상폭을 양보해 2022년 4월 출하분부터 톤당 9만800원에 공급하기로

최종 합의했다.

이번 시멘트 판매가격 협상은 업계 1위 쌍용C&E가 단독으로 진행한 상황이다. 협상에서 타 시멘트업계(한일, 아세아, 삼표시멘트, 성신양회 등)가 공동으로 참여하지 않았다. 다만, 쌍용C&E와 한국레미콘공업협동조합과 협의한 만큼 이후 타 시멘트업계가 업체별로 2022년 2월에 제시했던 인상안을 기준으로 개별적인 판매가격 협상을 진행이 본격화될 것으로 예상된다.[24)]

"삼표시멘트, 유연탄 가격 상승에도 실적"

삼표시멘트가 2022년 1분기(1~3월) 유연탄 가격 상승에도 전년 동기보다 실적이 개선된 것으로 확인됐다.

금융감독원 전자공시시스템에 따르면 삼표시멘트는 2022년 1분기 매출액 1542억 원, 영업이익 28억 원을 기록했다. 지난해 1분기에는 매출액 1152억 원, 영업손실 45억 원으로 집계됐다. 매출액은 33.9% 증가했고 영업이익은 적자에서 흑자로 전환됐다.

업계에서는 삼표시멘트의 이 같은 실적이 의외라고 반응한다. 2022년 1분기 동안 시멘트 원가의 30~40%를 차지하는 유연탄 가격이 급등하면서 시멘트 업체들의 실적이 감소할 것으로

---

24) 이투데이 '쌍용C&E, 시멘트값 9만800원으로 최종합의 레미콘업계와 상생발전위해'

예상됐기 때문이다. 한국자원정보서비스에 따르면 동북아산 유연탄 가격은 2022년 1분기 213.33달러를 기록했는데 이는 2021년 1분기(톤당 77.74달러)보다 174.4% 급등한 금액이다.

실제로 업계 1위 기업인 쌍용C&E는 1분기 영업이익 4억 원을 기록했고 2위 기업인 한일시멘트는 영업손실 36억 원으로 집계됐다. 쌍용C&E의 영업이익은 2021년 1분기와 비교했을 때 98.6% 줄었고 한일시멘트는 영업이익 153억 원에서 적자로 전환됐다.

삼표시멘트 관계자는 "지난해 1분기 설비 대보수에 따른 생산량 감소분 정상 회복과 순환자원 대체 투입으로 인한 원가부담 상쇄 노력이 영향을 미쳤다"며 "2분기에는 건설 성수기 도래에 따른 수요 증가와 가격인상 효과 반영 등으로 수익성이 개선될 전망"이라고 밝혔다.[25)]

25) 머니S '삼표시멘트, 1분기 영업익 28억원 유연탄 가격 상승에도 실적 선방'

"한일시멘트, 자체 인프라·시멘트 값 인상"

한일시멘트가 2022년도 1분기 부진한 성적표를 받아들었다. 시멘트 제조 시 주원료로 쓰이는 유연탄 가격이 급등하면서 실적에 찬물을 끼얹은 탓이다. 하지만 2분기부턴 상황이 달라질 전망이다. 최근 인상된 시멘트 가격이 2분기 실적에 본격 반영됨에 따라 수익성이 회복될 것으로 보이기 때문이다. 특히나 한일시멘트는 시멘트를 원재료로 사용하는 레미콘과 레미탈 사업도 함께 운영하고 있어 자가 소비를 통해 가동률을 유지할 수 있어 전망은 더욱 낙관적이다. 전근식 한일시멘트 대표 역시 이 같은 자체 인프라를 기반으로 2차 제품은 물론, ESG 경영에서도 업계 선두를 꿰차겠다는 각오다.

금융감독원에 따르면 한일시멘트의 2022년도 1분기 매출은 2841억 원을 기록했다. 이는 전년 보다 9% 오른 수치다. 다만 같은 기간 영업 손실은 36억 원, 당기순손실은 60억 원으로 집계됐다. 전년 동기 대비 모두 적자전환 했다.

실적이 부진한 배경은 유연탄 가격이 상승한 탓이라는 게 업계의 시각이다. 한국자원정보서비스에 따르면 2021년 4월 유연탄 가격은 톤당 70달러에서 이달 초 200달러에 달하며 3배 가까이 치솟았다. 유연탄의 수입량 75%는 러시아산이다. 이에 러시아와 우크라이나의 전쟁으로 유연탄 가격이 폭등함에 따라 시멘트 업계 전반의 수익성을 악화시킨 것으로 풀이된다.

하지만 2분기부터는 상황이 개선될 것으로 전망된다. 1분기까지는 시멘트업계 대부분 시멘트를 톤당 7만8800원에 거래해왔지만, 2분기부터는 9만3000원으로 인상된 가격이 반영되기 때문이다. 업계가 2021년 7월 시멘트 가격을 톤당 7만5000원에서 7만8800원으로 올릴 당시 상정한 유연탄 가격은 톤당 60달러였다. 톤당 9만3000원 안팎으로 높일 때 상정한 유연탄 가격은 톤당 150달러다.

투자업계도 한일시멘트의 전망을 긍정적으로 내다봤다. 이선일 BNK 투자증권 연구원은 "주택공급 확대로 시멘트 수요 증가세가 이어지는 가운데, 2021년 시멘트 가격이 상승한 것은 물론 전국 레미콘 가격이 4~10% 올랐고, 레미탈 가격까지 7~10% 인상됐다"며 "국내 레미탈 시장의 약 65%를 점유하고 있는 한일시멘트 입장에서는 특히 레미탈 가격이 인상한 점은 의미가 크다"고 말했다.

비시멘트(레미콘·레미탈) 부문도 함께 갖춘 사업구조를 둔 점도 향후 실적 호재의 주요한 요인으로 꼽혔다. 실제로 한일시멘트는 시멘트, 레미탈, 레미콘을 제조·판매하는 회사다. 각 부문의 매출비중은 지난해 연결 기준 시멘트 52%, 레미탈 26%, 레미콘 19%를 차지했다. 게다가 계열사를 포함해 단양, 영월에 3개의 포틀랜드 시멘트 생산공장과 평택, 당진, 포항에 3개의 슬래그 시멘트 생산 공장을 운영 중이며, 21개 출하공장에 저장소를 수도권, 충청권, 전라권, 강원권 등에 두며 전국적으로 시멘트와 콘크리트 원·부재료를 판매하고 있다. 이를 통해 공장 효율성을 높여 원가 절감을 이루겠다는 목표다.

특히 전 대표는 2022년도 연구개발을 통해 양질의 시멘트 등을 개발·생산하고, 순환자원 사용 확대를 위한 친환경 설비 구축 등 경영 환경 변화에 적극 대응하겠다는 전략이다. 회사는 2013년부터 매출 대비 0.7%~0.8% 수준의 투자를 이어오고 있다. 이는 업계 평균에 비해 높은 수준이라는 평가다. 2021년 3월 'ESG 경영 추진위원회'를 설립했고, 같은 해 9월에는 2025년까지 친환경 설비에 2710억 원을 투자한다는 계획을 발표했다.[26]

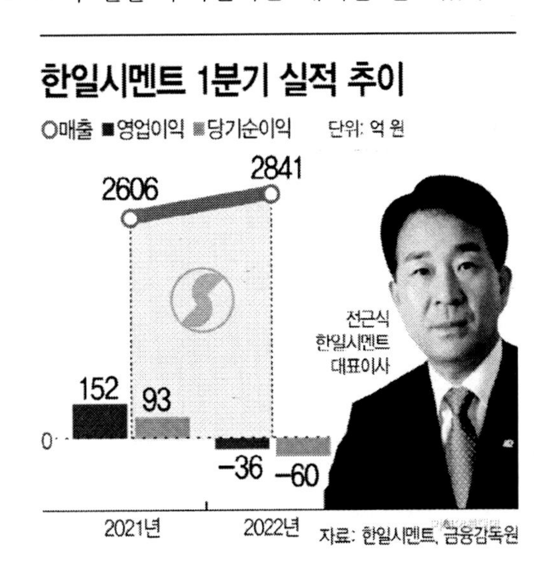

26) 아시아투데이 '전근식 한일시멘트, 자체 인프라 시멘트값 인상에 수익성 반전기대'

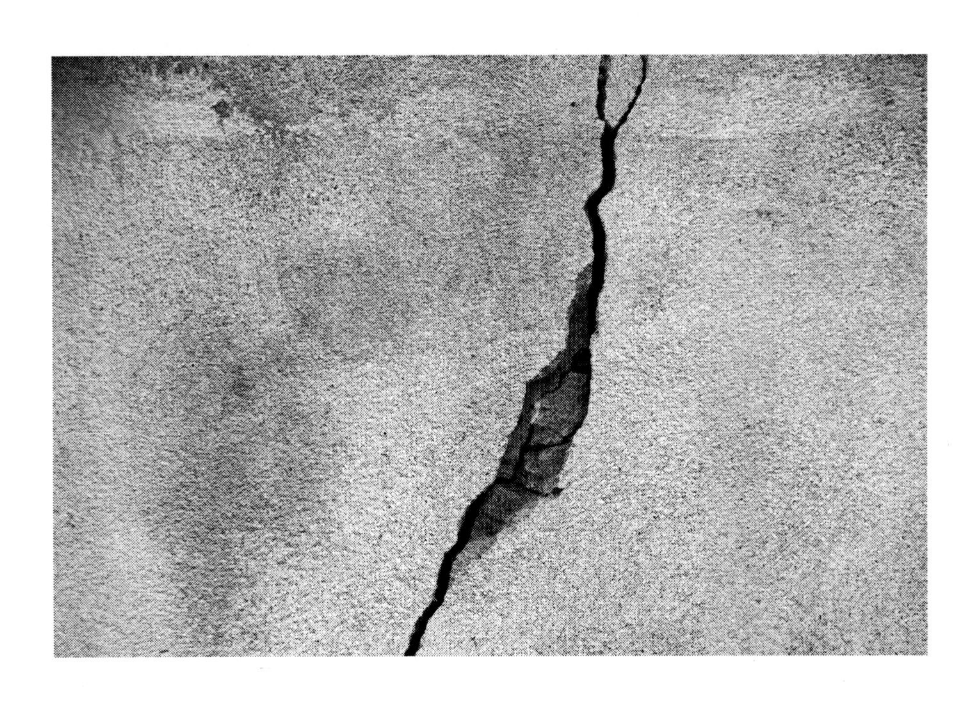

"국내에도 자기치유 콘크리트 기술 연구 필요"

일반적으로 콘크리트는 시멘트와 물을 혼합하여 수화반응을 일으키는 결합재와 크고 작은 골재를 혼합하여 제작된다. 이때 발생하는 수화열은 콘크리트 초기 균열의 원인으로 작용하며, 아울러 자기수축, 건조수축, 시공 및 구조적 특성, 환경변화 등도 균열을 발생시키는 주요 원인이 될 수 있다.

이러한 콘크리트의 특성 때문에 콘크리트 구조물의 균열은 부재의 강성 약화와 우수 침투에 따른 철근 부식을 유발한다. 이는 결과적으로 콘크리트 구조물의 '안전성 저하'로 직결되기 때문에 균열을 방지하고 철근 부식을 억제하기 위한 정기적인 균열 검사와 보수가 필요하며 이를 위해 상당한 시간, 인력, 비용의 발생은 말할 필요도 없다.

한국건설산업연구원 보고서에 따르면 국내 콘크리트 안전성 저하와 관련하여, 2014년 12월 말 1·2종 시설물을 기준으로 준공 연수가 31년 이상된 노후 시설물은 2014년 2608개에서 2019년 4054개(5.9%)로 증가했고, 2024년에는 9432개(13.8%), 2029년에는 2만1087개로 급속하게 증가할 것이라는 분석이다.

이에 따라 해외에서는 '자기치유 콘크리트' 기술 개발에 관심을 가지기 시작했다. '자기치유'란 외부로부터 받은 상처를 스스로 소독하여 염증을 가라앉히고 원래 상태로 회복시키려는 일련의 과정을 의미한다. 특히 이러한 자기치유 현상은 인간을 포함하여 대부분의 생명체에서

확인할 수 있는 일반적인 능력이지만, 최근 혼화재료의 화학적 반응을 이용하여 콘크리트 구조물의 균열을 방지하고 내구성을 확보하는 자기치유 콘크리트 기술에 대한 관심이 확대되고 있다.

대표적으로는 **네덜란드**의 델프트 공과대학에서 콘크리트가 갖고 있는 특성인 강알카리에서도 생존할 수 있는 바실리우스라는 박테리아를 발견하여 이를 활용한 자기치유 콘크리트를 개발하고 상용화하는 데 성공했다.

한편 **미국**의 경우, 국가 인프라개선위원회(NCPWI) 및 미국토목학회(ASCE)에서는 2016년에서 2025년까지 10년간 미국의 SOC 투자 예산은 1.9조달러(한화 약 2320조원) 규모이나 유지·보수에 필요한 투자 금액은 3.6조달러(한화 약 4400조원)로 추정되며, 10년간 약 1.6조달러(한화 약 2000조원)의 인프라 투자 재원 부족이 발생할 것으로 추정하고 있다.

아울러 **일본**의 경우, 2013년에 인프라 노후화에 대응하기 위해 사용한 유지관리 및 보수비용이 3.6조엔(한화 약 40조원) 규모이며, 전체 SOC 예산이 10.1조엔인 것을 감안하면 SOC 예산의 35% 정도 수준을 노후 인프라의 유지보수 비용에 할애하는 등 콘크리트 구조물의 유지관리에 필요한 재원은 지속적으로 증가할 것으로 예상할 수 있다.

일본 도쿄대학 생산기술연구소는 팽창성 재료, 팽윤성 재료, 결정촉진 재료 등의 혼화재료를 첨가하여 복합효과에 의한 자기치유 콘크리트 기술을 개발하였으며, 도쿄 메트로 터널의 누수 보수공사에 적용하여 자기치유 성능을 입증하였다. 해외보다 늦은 감은 있지만 국내의 경우에도 대학, 건설사 연구소, 공기업 연구소 등이 자기치유 기초연구에 박차를 가하고 있다. 특히 국토교통부의 건설기술 연구 사업으로 시작된 자기치유 친환경 콘크리트 연구센터는 여러 가지 자기치유 혼화재료 원천기술을 확보하는 등 소기의 성과를 도출하기도 했다.

아직까지 국내는 자기치유 콘크리트 개발의 역사가 짧고 그 효과의 정량적 검증 방법과 현장적용을 위한 표준화된 자기치유 콘크리트 배합설계와 시공지침이 완벽히 확립되어 있지 않아 사회적 신뢰를 얻기까지 시간이 조금 더 걸릴 것으로 예상된다. 하지만 이러한 기술 개발은 우리 사회가 당면한 천문학적인 유지보수 비용을 줄이는 것은 물론, 콘크리트 구조물의 장기적인 안전성과 신뢰성을 향상시킬 수 있다는 점에서 장려할만하다.[27]

---

27) [기고] '자기치유 콘크리트'에 거는 기대/건설경제 LH 토지주택연구원 수석연구원

"레미콘 값 폭등, 정부 가격 인상 결정"

최근 건설 원자재 가격이 급등하면서 조달청이 정부나 공공기관이 발주하는 공사에 사용하는 레미콘 단가를 이례적으로 올려주기로 결정했다. 3기 신도시 건설 등 정부가 추진하는 대형 건설 프로젝트의 공사비가 늘어나 재정 부담 증가가 불가피할 것이라는 관측이 나온다.

건설업계에 따르면 조달청은 지난 12일 "관수(官需) 레미콘 가격을 민간에서 오른 비율만큼 인상 한다"는 취지의 공문을 전국 지방 조달청에 발송한 것으로 확인됐다. 2022년 5월부터 민간 레미콘 가격이 12~15% 오른 것처럼 레미콘 업체에 단가 인상을 보장해주라는 것이 공문의 요지다. 수도권의 경우 현재 1㎥당 레미콘 가격은 7만5000원에서 8만5000원 정도로 오를 전망이다. 레미콘은 조달청이 취급하는 품목 중 가장 거래 규모가 크다. 2021년의 경우 총 3269만㎥, 2조5000억 원치가 거래됐다.

조달청의 이번 레미콘 가격 조정은 이례적인 경우다. 조달청이 2022년 3월 1일부로 레미콘 가격을 4%가량 올렸다가 두 달여 만에 추가 인상을 단행했기 때문. '국가를 당사자로 하는 계약에 관한 법률(국가계약법)'에 따라 한 번 계약 금액을 조정하면 최소 90일 동안은 가격을 동결하는데, 조달청은 기획재정부의 예외 규정을 끌어들여 레미콘 단가 조정에 나섰다.

정부가 이례적으로 레미콘 가격을 올린 것은 관급 공사에 레미콘을 공급하는 중소 업체들이 최근 심각한 경영난에 허덕이는 것을 감안한 것이다. 2022년 3월 이후 레미콘의 원재료인 시

멘트 가격이 급등했지만, 납품 단가는 그대로여서 중소 레미콘 업체들이 레미콘 공급을 거부하는 사태까지 벌어졌다. 조달청 관계자는 "레미콘 공급 차질이 계속되면 공기(工期) 지연으로 인한 금융 비용 부담이 더 커질 것으로 판단해 가격 조정을 하게 됐다"고 말했다.[28]

"레미콘 업계, 친환경 설비 본격화"

2020년부터 강화된 환경부의 '특정대기유해물질 관련 법령'에 따라 전국의 모든 아스콘 공장은 특정대기오염물질 배출 저감을 위해 친환경 설비를 해야 한다.

이에 따라 아스콘(아스팔트 콘크리트) 전문기업, SG(에스지이)가 아스콘 친환경 설비 사업을 본격적으로 시작한다는 소식을 전했다. SG는 본격적인 친환경설비 영업을 통해 전국의 아스콘 공장 6곳과 약 26억 원 규모의 계약을 체결했다고 밝혔다.

또한 SG는 환경부 인증기관의 대기오염물질 테스트를 실시하고 EGR+(Exhaust Gas Recycling, 배기가스순환방식)에서 1급 발암물질인 `벤조(a)피렌`이 검출되지 않았다고 밝히며, 검사 결과 개정된 배출 허용 기준치보다 낮은 수치의 결과를 나타내면서 성능 검증까지 완료한 것으로 알려졌다.

이 같은 노력으로 SG는 아스콘 친환경 설비 EGR+ 개발에 성공해 국내 최초로 아스콘 친환경설비 특허등록을 완료했으며 친환경 설비의 본격적인 영업을 통해 수도권 경기, 인천, 전북과 충북 등의 아스콘 공장 6곳과 약 26억 원 상당의 계약을 체결했다. 아스콘 친환경 설비 계약을 체결한 이번 아스콘 공장들을 시작으로 전국의 아스콘 공장에 친환경 설비 EGR+를 보급할 계획이다.[29]

28) 땅집go '레미콘값 폭등에 정부도 이례적 가격 인상 결정'
29) SG, 아스콘 친환경 설비 사업 본격화/매일경제 MBN

2. 친환경 시멘트 논란

1) 시멘트업계의 입장

(1) 생활·산업 폐기물도 시멘트 원료

그동안 처리 곤란했던 생활 및 산업폐기물들은 전국적으로 환경오염의 주범으로 인식되어왔다. 그러나 이러한 폐기물도 시멘트 업계의 주된 원료와 연료로 활용될 수 있다고 알려져 주목을 받고 있다.

산업통상자원부에 따르면 해마다 화력발전소에서 800만t 이상의 석탄재가 발생하지만 이 중 20%는 재활용되지 못한 채 매립되고 있는 것으로 알려졌다. 이밖에도 지역에서 처리하기 곤란한 하수슬러지도 문제가 되었다. 또한 폐기물을 땅에 묻어야 하는 경우, 향후 부담금이 부과될 예정이어서 시멘트 업계의 순환자원 재활용 사례는 더욱 강조되어 온 사안이었다.

이에 따라 쌍용양회와 한일시멘트, 삼표시멘트 등 국내 7개 시멘트 업계들은 국가적 골칫거리였던 폐타이어와 폐합성수지 등 생활폐기물을 보조원료로 사용해 시멘트를 만들고 있는 것으로 알려졌다. 또한 발전사의 석탄재 폐기물도 시멘트 원료로 활용되고 있다.

한편, 아세아시멘트와 성신양회가 사용하는 연탄재는 시멘트 원료로 사용된다. 시멘트의 주원료인 석회석은 철광석과 점토, 규석 등 부 원료로 이뤄지는데, 석탄재는 점토와 성분이 일

치해 대체제로 활용될 수 있다. 특히 버려지는 지역 연탄재 이외에도 석탄화력발전소에서 처치 곤란한 석탄재도 받아 사용하고 있다. 또한 폐타이어와 폐타이어 등 지역 생활폐기물도 시멘트 연료로 사용된다. 쌍용양회와 한일시멘트, 삼표시멘트, 현대시멘트, 아세아시멘트 등 국내 7개 시멘트 업체는 폐타이어, 폐합성수지 등 폐자원을 시멘트의 원료로 적극 활용하고 있는 것으로 알려졌다.[30]

(2) 시멘트 소성로 활용한 순환경제 방안

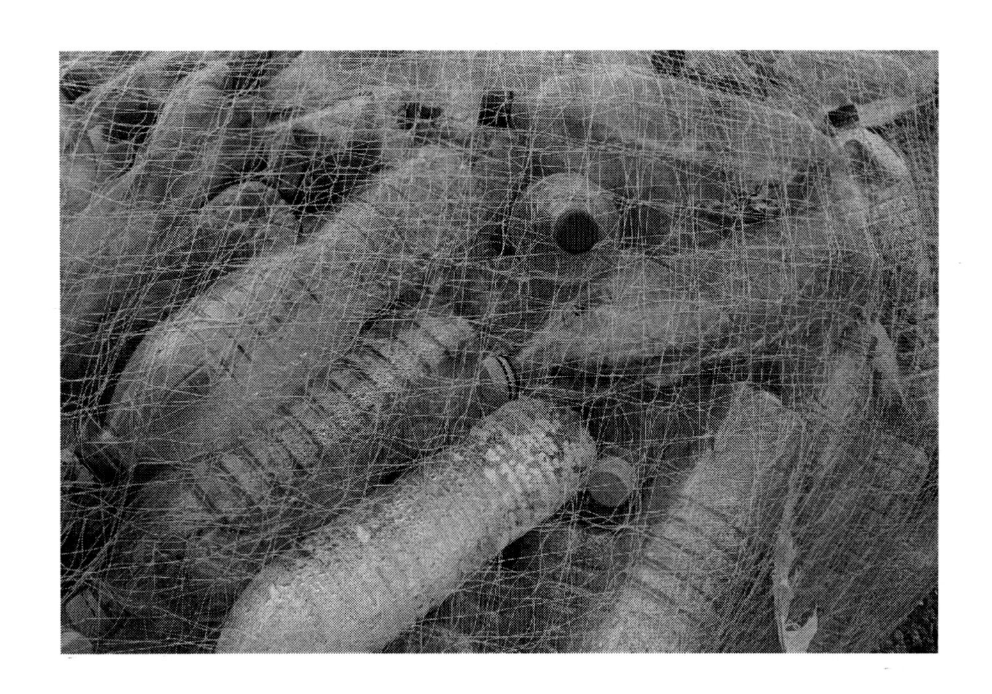

시멘트 소성로를 활용한 순환경제 활성화 방안이 주목받고 있다. 그동안 플라스틱 쓰레기 문제는 지속적으로 중요한 이슈로 대두되어 왔으며, 최근 코로나19의 여파로 인해 일회용 용기의 사용이 더욱 증가하면서 이를 위한 해결방안이 화두로 떠오르게 되었다.

플라스틱의 원료는 석유의 정제 과정에서 나오는 나프타에서 나온다. 이를 불완전 연소를 하게 되면 다이옥신 같은 유해물질이 배출돼 문제가 될 수 있지만, 1200도 이상의 높은 온도에서는 완전 연소가 일어나 자연에 존재하는 이산화탄소, 물, 산소, 수소 같은 성분으로 되돌릴 수 있다.

따라서 연소 온도가 2000도에 이르는 시멘트 공장의 소성로를 활용하면 플라스틱을 자연으로 되돌릴 수 있다는 활성화 방안이 제기되고 있다. 또한 폐플라스틱을 유연탄의 대체제로 사

30) "폐기물도 자원"…시멘트업계 '앞장'/EBN

용하면, 자원의 순환 이용을 실천하고 유연탄 사용량을 줄여 온실가스 배출 절감에도 기여할 수 있다. 이미 유럽에서는 시멘트 소성로를 활용한 순환경제 활성화 방안이 적극 추진되고 있다. 폐플라스틱을 시멘트공장 소성로에서 환경연료로 재활용해 환경 부담을 줄이고 산업 경쟁력을 높이려는 시도인 것이다.

한편 폐타이어도 20년 전에는 환경 공해물질로 골칫거리였지만 현재는 없어서 못 구할 지경이다. 처음에는 폐타이어를 소각해주는 대가로 시멘트공장이 소각비를 받은 것으로 알려졌으나, 지금은 시멘트공장이 이를 돈을 주고 사오고 있다. 따라서 이러한 사례를 본보기 삼아 폐플라스틱에 적용하면, '폐타이어 공해'라는 말이 사라졌듯이 '플라스틱 공해'라는 환경문제도 없어질 수 있다는 의견이 제시되고 있다.[31)]

(3) 쓰레기 대란 문제 해결

"코로나로 인해 심각해진 쓰레기 대란"

신종 코로나바이러스 감염증(코로나19) 사태로 테이크 아웃, 온라인 쇼핑 등이 증가하면서 생활쓰레기가 더욱 늘어나고 있다. 또한 쓰레기처리장 건설이 지연되면서 '폐기물 대란'이 일어나는 것 아니냐는 우려의 목소리도 높아지고 있다.

환경부에 따르면 2019년 1월 1일부터 2021년 12월 31일까지 조사된 방치·불법투기 폐기물은 158.2만 톤에 이른다. 이중 처리된 폐기물은 130.9만 톤(82.7%)으로 아직도 27.3만 톤이 남아 있다.

폐기물 대란이 우려되자 환경부는 2019년 12월 주요 지자체에 쓰레기처리장 건설을 허가해 주라는 공문을 내려 보냈다. 환경부는 "일부 지자체는 법령에 위임 근거가 없는데도 조례·지침 등을 통해 인허가를 지연하고 있다"며 "이는 '법령의 범위 안에서 조례를 지정할 수 있다'고 명시한 지방자치법에 위배된다"고 했다. 민간 폐기물처리업체인 DS컨설팅은 2016년 1월 환경부 산하 금강유역환경청으로부터 충북 청주시 청원구에 쓰레기소각장을 지어도 된다는 허가(적정 통보)를 받았다. 하지만 착공을 못한 이유는 청원구가 "지역 민원 해소를 위해 적극적인 노력을 안 했다"며 건축허가를 내주지 않아서라고 덧붙였다.[32)]

31) "넘쳐나는 폐플라스틱, 친환경 에너지원으로 쓸 수 있다"/주간동아
32) 더 이상 '묻을 곳'이 없다…코로나發 '쓰레기 대란' 초비상/한국경제

이와 같이 국내 쓰레기 폐기물로 인한 문제는 심각한 수준이다. 따라서 시멘트 업계는 이러한 쓰레기 대란을 해결할 수 있는 방법 중 하나가 '폐기물 시멘트'라고 주장한다.

시멘트 소성로는 특정 시기마다 불거지는 쓰레기 문제를 해결하는데 톡톡한 역할을 해내며 사회문제를 해결한 바 있다. 또한 기존 시멘트 제조설비를 그대로 이용해 회원사들이 재활용에 드는 비용을 낮춘 점도 주요한 공적이다.

또한 한국시멘트협회는 자원순환 관련 다양한 홍보 활동을 펼치고 있다. 대표적으로 '자원순환촉진 포럼'은 2015년 최초 개최해 작년까지 6회를 진행했으며, 포럼을 통해 「자원순환기본법」 운영 방향이나 해외 재활용 사례를 공유하는 시간을 가졌다. 또한 정부와 민간의 상생협력 사례와 방법을 공유하고 시멘트산업 재활용 활성화를 이끄는 역할을 하고 있다. 또한, 해외 사례를 알아보기 위해 '해외 순환자원 재활용현황 조사'를 실시해 독일 시멘트협회, 시멘트공장, 폐기물 가공공장 등을 방문해 선진화 방안을 연구하는 데 힘썼다고 밝혔다.[33)]

33) 시멘트협회, '쓰레기 대란' 소성로서 재활용/환경미디어

(4) 일본산 석탄재 수입 이유

국내 시멘트업계는 '일본산 석탄재 수입'에 관한 싸늘한 여론에 속앓이를 하고 있다고 밝혔다. 시멘트 업계의 관계자는 "24년 시멘트 회사에서 일했다. 국가적 차원에서 대체 원료를 연구하고 유럽 기술을 스터디했다. 일본의 사정을 압박해 거래를 성사시켰을 때엔 애국한다는 생각도 했다. 국가에 이바지하는 부분이 있으니까. 하지만 지금은 환경적 관점에 이어 반일 감정으로 매도당하는 것 같아 안타깝다."고 말문을 열었다.

이후 국산 석탄재는 왜 못쓰냐는 질문에 "운송 비용이 문제다. 특히 우리나라 화력발전소는 서쪽에 몰려 있어서 동해안에 있는 시멘트 회사까지 운송 부담이 커진다. 톤당 2만5000원 정도인데, 매립비용은 톤당 1만원이니 땅에 묻는 쪽을 택하는 것이다. 일본은 매립 비용 때문에 한국 수출을 선택하게 됐다."고 대답했다.

또한 일본산 석탄재를 수입하는 것에 제한 조치가 내려진 사안에 대하여 아무 문제가 없는 일본산 석탄재를 못 쓰게 하는 것이 당혹스럽지만, 그래도 여론을 받아들여 감축에 반대하지는 않는다고 덧붙였다.

시멘트 업계도 '환경 문제'에 대해 민감하게 생각한다고 밝히며, 과거에 '굴뚝산업'이 각광받던 때도 있었지만, 이젠 시멘트 업계도 현실을 받아들이고 있다고 전했다. 다만, 국민에게 친숙한 소비재 기업이 아니다 보니 제대로 설명할 기회도 못 갖고 오해가 더 커진 측면이 있다. 산업 자원에 대한 인식의 전환이 있었으면 좋겠다고 덧붙였다.

한편, 폐기물 시멘트 유해성 논란에 대해서는 감정적으로 걱정만 키우면 안된다고 언급했다. 쓰레기 시멘트 논란 중에는 가연성 폐기물 사용에 대한 문제도 있다. 가연성 폐기물은 폐플라스틱, 폐타이어, 재생정제유 등을 말한다. 쓰레기 분리수거 등에서 모인 폐기물 중 고열로 태울 수 있는 것은 잘게 부서져 시멘트공장의 소성로(燒成爐)에서 시멘트 원료와 함께 태우는데 사용된다. 2000도의 고온에서 태워 오염물질이 거의 없다는 게 업계의 주장이지만, 시멘트 공장에서 쓰레기를 소각한다는 반론도 있다. 이에 대해 자원순환사회경제연구소 소장은 "유해성의 근거가 없는데도 국민들의 감정을 자극하는 대응을 하는 것"이라고 지적했다.[34]

---

34) [김승현 논설위원이 간다] 일본산 석탄재, 쓰레기인가 시멘트 산업 자원인가/중앙일보

2) 시민단체의 입장

(1) 폐기물 활용 시멘트 논란

현재 시멘트 업계는 이와 같이 다양한 종류의 폐기물을 대량으로 반입하여 시멘트 연료로 사용하는 자원순환 시스템을 실시하고 있다. 이에 따라 폐타이어, 폐합성수지, 고무류, 폐목재 등을 보조연료로, 석탄재, 유기성·무기성 오니, 폐주물사 등을 부원료로 사용하고 있는 것으로 알려졌다.

이러한 자원순환 시스템은 각종 폐기물을 처리하는 과정에서 여러 장점들이 있다. 첫째로 시멘트소성로에서의 폐기물 재활용 후 2차 폐기물이 발생되지 않기에 지자체는 폐기물 매립량을 줄일 수 있어 매립장의 수명이 연장되는 효과를, 시멘트공장은 연료구입비를 줄이는 효과가 생긴다. 실제 삼척시, 제천시는 지역에서 발생되는 폐기물을 시멘트 제조 공정에 투입하면서 시멘트 공장과 함께 상부상조 할 수 있는 시스템을 구축했다.

둘째로는 천연광물 절감과 자연을 보호할 수 있다. 시멘트는 석회석, 점토, 철광석을 주원료로 사용하기에, 폐기물을 시멘트 원료로서 재활용 할 경우 그 만큼 천연 원료의 사용량을 절약할 수 있다. 즉 채굴량을 줄이게 되면 그만큼 환경 보호의 효과를 가져 온다.

이에 대하여 한국시멘트협회 자원순환센터는 시멘트 산업이 점차 환경 친화적인 산업으로 변모해가는 과정이라는 입장이다. 또한 산업계 최대온도인 1000℃~2000℃ 고온으로 시멘트 소성로를 활용하면 각종 산업계 폐기물의 재활용과 정수 · 하수슬러지 등 생활계 폐기물을 안전하게 순환 자원화할 수 있다고 덧붙였다.

그러나 시민단체는 이러한 시멘트 업계의 입장과는 다른 의견들을 내놓았다. 시멘트 사업장에서 발생되는 다량의 온실가스와 미세먼지는 기후변화 대응 차원에서 역행하고 있으며, 특히 시민들은 각종 폐기물을 활용해 만들어진 시멘트가 과연 인체에 무해한지에 대해 우려가 높다는 점을 강조했다. 현재 ‘쓰레기 시멘트 아파트’, ‘일본산 석탄재 수입’ 등의 문제는 지속적으로 화두에 오르고 있으며, 이에 따라 시민단체와 시멘트 업계의 입장은 상이한 것으로 알려졌다.

시민단체는 시멘트 제조에 따른 성분표시를 제기했다. 즉, 시멘트 제조사는 각종 쓰레기로 제조한 시멘트 포대 겉면에 투입된 폐기물 사용량을 명확히 표시하라는 것이다. 소비자시민단

체인 소비자주권시민회의(이하 소비자주권)는 '쓰레기 시멘트 제조에 따른 성분표시 실태 결과'를 발표하면서 핵심 논점은 각종 폐기물이 투입되어 생산된 시멘트(일명 쓰레기시멘트)가 국민들의 생활터전인 주택 건설에 많이 사용되고 있으므로, 인체에 큰 위협이 되고 있다는 것이었다.

소비자주권은 "시민들이 생활하는 아파트 및 건물, 빌딩 등은 쓰레기 시멘트로 신축되고 있고, 새로 입주하는 아파트 등 건축물에서 생활하는 국민들은 뚜렷한 원인 없이 아토피 등 피부질환과 호흡기 질환 등 각종 질환에 시달리고 있다"며, "이는 각종 폐기물로 생산된 쓰레기 시멘트에서 인체에 유해한 발암물질과 중금속 성분을 내포하고 있기 때문이다"라고 문제를 제기했다.[35]

이에 따라 시민단체는 ▲시멘트의 위해성, 사용한 폐기물 종류, 폐기물의 사용량 등에 대해 국민들의 알 권리와 선택할 권리 보장 차원에서 시멘트포대 표기사항에 사실을 은폐하거나 왜곡하지 말고 진실을 명확하게 표기해야 할 것 ▲등급제를 도입해 석회석에 점토와 규석 그리고 철광석 등 일반 첨가제를 사용해 생산한 친환경(Eco) 주거용 시멘트와 각종 폐기물을 사용해 생산한 시멘트를 분리 생산, 판매토록 해야 하는 점을 개선 방향으로 꼽았다.[36]

(2) 일본산 석탄재 수입 논란

한편, 국내 시멘트 업계에서 일본산 석탄재를 수입하여 폐기물 시멘트를 만드는 것에 대하여 많은 논란이 일었다. 일본산 석탄재의 방사능 노출 위험까지 더해서 국민들의 우려가 커지자 정부는 민간 업체와 손잡고 석탄재 수입 감축에 나서고 있다.

이에 대한 시멘트 업계의 입장은, '자원의 재활용'이라는 차원에서 고온의 완전연소를 하고 있기 때문에 2차 오염물질에서 배제된다고 밝혔다. 그러나 각종 시멘트에는 인체 유해물질이 다량 함유되어 있는 것으로 조사되어, 많은 논란이 되고 있는 실정이다. 국립환경과학원이 조사한 보고서에 의하면 카드뮴(Cd), 비소(As), 망간(Mn), 수은(Hg), 납(Pb), 크롬(Cr), 구리(Cu), 세레늄(Se),안티몬(Sb), 6가크롬(Cr+6) 등이 검출됐다. 국립환경과학원 관계자는 "이러한 유해물질들은 급성독성과 만성독성의 증상이 나타날 수 있고, 중금속이 함유된 시멘트로 지어진 아파트나 주택 건물에 입주해 생활할 경우 아토피성 피부염, 가려움증, 알레르기, 두통, 신경

---

35) 시멘트 자원순환의 고리인가? 국민 건강 위협하는 문제인가?/환경미디어
36) 폐기물 녹여만든 '쓰레기 시멘트'...전국 아파트 도배해/그린포스트코리아

증상 등이 나타날 수 있다"고 전했다.

또한 일본산 수입석탄재는 원전사고 이후 세슘 등 방사능물질이 검출됐던 물질이다. 국내 시멘트 제조사들은 원가절감을 이유로 석탄재를 부원료로 활용하고 있다. 당시 문제가 불거지자 시멘트 제조사들은 국내 석탄재 우선 활용을 협약했다. 그러나 한국시멘트협회 홈페이지에 올라온 자료와 환경부 자료에 의하면 매년 일본으로부터 수입되는 석탄재 양은 증가한 것으로 나타났다. 이에 대해 시멘트업계 측은 '점토 비율을 줄이고 석탄재 사용을 늘렸기 때문'이라는 해명을 내놓기도 했다.[37]

이러한 논란이 점점 심각해지면서 시멘트 업계는 일본산 수입 석탄재 사용 축소와 국산 석탄재 사용 확대에 필요한 기술 개발에 나섰다고 전했다. 한국시멘트협회는 오는 2023년 12월까지 시멘트 원료로 국산 석탄재를 재활용하는 설비 및 공정기술 확보를 목표로 '일본산 수입 석탄재를 국내산 석탄재로 대체하기 위한 시멘트 공정시스템 구축 및 원료화 기술 개발사업'을 시작한다고 밝혔다. 환경부는 2019년 9월부터 정부와 발전사, 수입 시멘트사가 참여하는 민관 협의체를 운영해 석탄재 수입 감축 노력에 나섰다. 환경부에 따르면 2019년 9월부터 2020년 2월까지 일본산 석탄재 수입량은 33만t으로, 1년 전 같은 기간(71만t)보다 약 54% 줄었다. 정부는 민관 협의체를 통해 일본산 석탄재를 대신해 국내 화력발전소에서 만들어진 석탄재를 시멘트사에 공급하도록 발전사와 시멘트사 간에 계약 체결을 지원했다.[38]

시멘트업계는 국산 석탄재 중 양질의 비산재(Fly Ash) 대부분이 혼합재로 우선 레미콘 업계에 유상(有償) 공급되는 시장 환경으로 인해 시멘트 제조에 필요한 물량 확보에 난항을 겪어왔었다. 그나마 수입 석탄재로 대체한 물량도 2019년 8월 국산 석탄재 사용 확대, 천연자원인 점토광산 개발 등 대체원료 확보 발표로 오는 2024년까지 기존의 70% 수준으로 감축할 계획이다. 이에 따라 시멘트업계는 안정적인 시멘트 생산을 위해 기존 공정기술과 설비로는 재활용이 어려운 매립 석탄재나 바닥재까지 사용 가능한 기술개발이 시급하다고 보고 있다.[39]

37) [특집] '시멘트 품질 등급제' 도입, 안 하나 못 하나/환경미디어
38) 아주경제 '일본산 석탄재 수입 절반 넘게 줄어 2022년까지 석탄제 수입 제로'
39) 시멘트업계, 수입 석탄재 대체 기술개발에 나선다/문화일보

(3) 인체 유해성 논란

시멘트업계는 1500도 고온에서 유해물질이 사라지기 때문에 시멘트 소성로를 활용한 소각은 인체에 무해하다는 입장을 밝혔다. 그러나 한국양회공업협회가 요업기술원에 의뢰해 작성한 '시멘트 중 중금속 함량 조사 연구'에 따르면 국내산 시멘트 중 10개의 시료를 분석한 결과 6개 제품에서 6가크롬이 유독성 지정 폐기물 기준치인 1.5mg/l이 수배나 넘게 검출되었다.

이는 시멘트가 유독성 지정 폐기물보다 더 위험하다는 얘기다. 특히 일본 시멘트 평균치인 8.1mg/kg의 세 배가 넘는 평균 25.5mg/kg이 검출되었다. 크롬은 열을 가하면 6가크롬으로 변하는데, 6가크롬은 세계보건기구(WHO)가 극발암성 물질로 분류하고 있다.

이에 대하여 환경보호운동가와 시멘트 업계의 입장은 대립하고 있다. 환경보호운동가 최 목사는 "이미 여러 동물 실험을 통해 입증됐다"며 "콘크리트 모형집 안에 생쥐를 넣자 얼마 안가 죽고, 시멘트로 만들어진 어항의 금붕어 역시 죽었다"고 주장했다. 그러나 이와 관련하여 시멘트협회 한 관계자는 "콘크리트 모형집 안의 생쥐가 죽은 건 저체온 때문이며 금붕어가 죽은 건 중금속 때문이 아니라 강알칼리성 때문"이라고 반박했다. 이 관계자는 또한 "현재 시멘트에 포함된 6가크롬을 규제하고 있는 나라는 유럽 외에 없고 유럽의 규제도 사람과 접촉이 있을 경우에 한정하고 있어 보편적인 시멘트에 대한 규제 조치라고 할 수 없다"고 주장했다.

그는 또 "우리나라도 6가크롬에 대한 국민들의 불안감을 해소하기 위해 6가크롬 자율관리기준인 20ppm 이내로 관리하고 있다. 그러기 위해 크롬이 높은 부원료 사용을 제한하고 있다"며 "현재 20ppm을 준수할 수 있는 수준에 도달해 있다"고 강조했다.

그러나 반도체공장에서 제조하는 다량의 유해물질은 최근까지 반도체공장 노동자들을 백혈병으로 몰고 가 사회적 문제를 일으키고 있는 것으로 알려졌다. 유해물질을 배출하는 업소는 시멘트공장으로 유해물을 보내 처리비용을 줄일 수 있고, 시멘트공장은 처리비를 받아 막대한 돈을 벌어들이고 있다는 주장도 제기되고 있다.

이와 관련하여 최 목사는 "반도체 공장의 유해물질이 전문 소각장으로 가면 처리비가 40~60만원 든다"며 "그러나 시멘트공장으로 보내면 단 돈 10만원이면 된다. 처리비를 엄청 절감하게 되는 것"이라고 주장했다.

한편, 국내 시멘트공장에서는 일본 시멘트공장들은 전혀 사용하지 않는 유해성 높은 폐기물이 사용된다는 지적도 제기되고 있다. '자동차 슈레더 더스트'라는 폐기물의 경우 자동차 폐차 후 철을 뺀 나머지 모든 폐기물을 말한다. 여기엔 범퍼, 고무발판, 의자, 플라스틱, 자동차 안에 있던 각종 전선들 그리고 심지어 브레이크 석면도 포함돼 있다.

일본은 '자동차 슈레더 더스트'만을 전문으로 소각하는 발전소에서 '자동차 슈레더 더스트'를 소각, 전기를 생산한다. 또 폐차된 자동차 쓰레기의 소각 과정에서 자동차 전선에 있던 동과 나머지 찌꺼기는 따로 분류해내고 있다. 반면 국내에선 이런 유해 폐기물을 그대로 시멘트 제조에 사용하고 있다.

일본 시멘트공장이 쓰지 않는 또 하나의 유해물질은 염색공단 슬러지다. 섬유공단에서 사용하는 염색약은 유독물질로 분류된다. 그러나 국내에서는 반도체공장의 슬러지와 폐세정액 역시 시멘트공장으로 그대로 들여오고 있는 실정이다.

이와 같이 시멘트 업계와 시민단체의 '폐기물 시멘트 유해성 논란'은 첨예하게 대립하고 있다.[40)]

---

40) "산업폐기물로 만든 시멘트, 인체에 어떤 영향 미치는지 누구하나 나서지 않아"/위클리서울

3) 기술 개발 사례

(1) 현대건설

기존의 시멘트는 제조 과정에서 CO2(이산화탄소)가 대량으로 발생해 환경오염의 주범이 된다는 지적을 지속적으로 받아왔다. 이에 따라 CO2의 총 발생량을 제한하는 국제적 규제 움직임에 걸맞는 친환경 건설재료 개발이 필요하다는 목소리가 높아졌다.

일반적으로 구조물을 세울 때 연약한 지반을 단단하게 만들려고 고화재를 투입한다. 하지만 가장 흔히 사용되는 고화재인 시멘트는 바닷물과 접촉하면 환경에 부정적인 영향을 끼쳐, 꾸준히 친환경 고화재 개발에 대한 필요성이 대두되어 왔다. 이뿐만 아니라 시멘트는 제조 과정에서 이산화탄소가 대량으로 발생한다는 단점이 있다.

이에 따라 현대건설이 생활용수 절감, 최적 환기 제어 등에 이어 7번째 녹색기술을 인증받았다는 소식을 전했다. 녹색기술 인증은 에너지와 자원을 절약하고 효율적으로 사용해 온실가스와 오염 물질의 배출을 최소화하는 기술을 정부가 인증하는 제도를 말하며, 현대건설은 **'철강 부산물을 이용한 연약지반 처리용 지반 고화재(기존 토양과 혼합해 토양의 지지력을 강화하는 재료) 제조 기술'** 인증에 성공했다고 밝혔다. 이번에 인증 받은 연약지반 처리 기술은 ▲환경보호 ▲산업 부산물 재활용을 통한 부가가치 창출 ▲비용 절감을 통한 기술경쟁력 확보의 일석삼조의 효과가 있어 의미가 크다.

현대건설은 현대제철과 철강 제조시에 발생되는 부산물인 중조탈황분진: 중조(NaHCO3)를 이용해 재료의 황 성분을 제거하는 과정에서 발생하는 분진을 원료로 선정, 건설재료 제조업체인 ㈜CMD기술단, ㈜대웅과 협력해 친환경 건설재료 공동개발 및 실용화에 성공했다. 이에 따

라 친환경 건설재료 및 연약지반 개량공사 분야에서 기술경쟁력을 획득했고, 현대제철은 산업 부산물 처리 비용 절감 효과를 얻어 그룹사 시너지 효과를 지니게 됐다. 그와 동시에 CMD기술단 및 대웅과는 근본적인 기술경쟁력 동반강화라는 상생의 장을 열게 되었다고 덧붙였다.[41]

(2) 포스코

포스코건설이 **'페로니켈 슬래그'**를 활용한 시멘트를 개발했다는 소식을 전했다. 포스코는 페로니켈 생산과정에서 발생하는 슬래그를 분쇄해 시멘트 원료로 재활용하는 기술 개발로 장영실상을 수상하기도 했다.

이 시멘트는 페로니켈 생산과정에서 발생한 부산물로 만든 것으로 친환경적이면서도 성능은 개선된 것이 장점이다. 시멘트는 주로 석회석을 원료로 사용하며, 제철소에서 발생하는 부산물인 '고로 슬래그'를 일부 원료로 활용하긴 했지만, 페로니켈 슬래그는 사용할 수 없었기에 전략 매립해 왔다. 그러나 포스코건설 R&D센터는 페로니켈 슬래그 시멘트 개발 연구팀을 구성, 3년여에 걸친 연구 끝에 이를 혼화재로 사용할 수 있는 최적의 생산 조건을 찾아냈다고 밝혔다.[42]

한편, 이 페로니켈 슬래그 시멘트 혼화재를 적용해 만든 새 시멘트는 기존 석회석 시멘트에 비해 30% 이상 부식성과 수명 등이 개선된 것이 큰 장점이다. 또한 페로니켈 슬래그는 고온의 페로니켈 추출공정을 거치고 남은 부산물이어서 석회석 가공과정보다 이산화탄소배출도 약 17배 낮으며, 불순물 함유량도 상대적으로 낮아 환경친화적인 것으로 알려졌다.[43]

---

41) 현대건설, 철강 부산물 이용 '無시멘트 연약지반 고화재' 녹색기술 인증 획득/Tech Holic
42) 포스코건설 새시멘트 '장영실상' 수상/공감언론 뉴시스
43) 포스코건설 페로니켈 슬래그 활용 시멘트 개발/한국건설신문

포스코 건설이 친환경 슬래그시멘트 **'포스멘트'**를 개발했다는 소식을 전했다. 슬래그는 용광로에서 쇳물을 만들고 남은 부산물을 말하며, 시멘트의 주원료인 클링커(Clinker)에 고로 수재 슬래그를 혼합해 만든 슬래그시멘트의 일종이다. 일반시멘트는 채집과 가공과정에서 오염물질을 배출하는 석회석을 섞는다. 그러나 석회석 대신 슬래그를 혼합하면 강도도 높아지고 온실가스 배출이 22% 정도 줄어든다. 슬래그 비율을 높인 포스멘트는 생산 시 발생하는 이산화탄소를 기존 시멘트 대비 60%까지 줄일 수 있다.

슬래그 사용비율을 높이면서도 물리적 성질을 개선한 포스멘트는 내염해성과 내구성이 우수하고 시멘트가 물과 결합할 때 발생되는 수화열(水和熱)이 낮아 콘크리트의 균열을 줄일 수 있다는 장점이 있다. 또한 주로 매스콘크리트, 해양콘크리트 등으로 사용되며 인공어초를 만드는 포스코의 바다숲 조성사업에도 활용되고 있다. 슬래그에는 칼슘과 철 등 해양생태계에 유용한 미네랄 함량이 높아 인공어초를 만드는데 적합하다.

따라서 포스코는 이러한 슬래그 재활용 확대를 위해 10여년간 단계적 연구 과정을 거쳐 지난 2012년 친환경 시멘트인 포스멘트를 개발했다고 밝히면서 친환경 슬래그시멘트 '포스멘트'가 지난해 249만 톤 생산되어 128만 톤에 달하는 온실가스를 감축하면서 탄소저감과 순환경제에 기여하고 있다는 소식을 전했다.

한편, 포스코는 생산의 전 과정에서 사용되는 원료와 오염물질 배출을 최소화하는 라이프사이클(Life Cycle) 접근방식을 기반으로 철강제품의 친환경 경쟁력 향상에 박차를 가하고 있다.[44)]

44) 포스코, 친환경 슬래그 시멘트로 순환경제 앞장/대경일보

(3) 한일시멘트

한일시멘트는 2004년 업계 최초로 국제 표준 품질경영시스템 인증인 `ISO9001`을 전 사업장이 취득하며 전사적 품질관리 시스템을 구축·운영하고 있으며, 또한 친환경적인 제품 생산, 자원 재활용, 에너지의 효율적 사용 등을 통해 환경경영에도 심혈을 기울이고 있다.

충북 단양공장은 시멘트 소성로의 폐열을 이용한 폐열발전설비를 통해 친환경 공장으로 거듭났고, 포항 공장과 평택 공장은 제철소에서 부산물로 발생하는 고로슬래그를 활용해 시멘트를 생산하고 있다. 이 같은 노력으로 한일시멘트는 2011년 시멘트 업계 최초이자, 제조업계에서는 이례적으로 환경부로부터 녹색기업으로 선정됐다. 2015년에는 단양 공장에서 생산하는 포틀랜드 시멘트가 친환경 건축자재 최우수 등급으로 인증받기도 했다. 또한 한일시멘트는 시멘트 생산 과정에서 기존 제품보다 석회석의 사용량을 줄이고 소성온도를 낮춰 온실가스 주범인 이산화탄소 발생을 저감할 수 있는 `석회석 저감형 저탄소 그린시멘트` 실증화에 성공한 바 있다.[45]

45) 한일시멘트, 안전·환경을 생각하는 시멘트업계 1위/매일경제 MBN

(4) 한국석회석신소재연구소

한국석회석신소재연구소는 2011년부터 석회석 기업지원사업인 광역경제권연계협력사업을 통해 한일시멘트 단양공장과 공동으로 **'저탄소 그린시멘트'** 제조기술을 개발해왔다. 저탄소 그린시멘트는 일반 보통시멘트를 생산하는 온도보다 100℃ 이상 낮은 1천300℃의 온도에서 생산할 수 있어 에너지 절감효과가 매우 큰 것으로 알려졌으며, 활용도가 낮은 저품위 백운석을 혼합하여 시멘트를 생산하는 기술로, 백운석의 함량을 적절하게 유지하는 것이 기술의 핵심이다.

한편 개발된 제품은 실험실 환경은 물론 실제 아파트 공사현장으로 공급돼 바닥용 미장재로 시범 사용되었으며, 그 결과 기존 시멘트와 비교하여 건조·수축과정에서 발생하는 균열감소 효과 및 시공기간 단축효과가 있는 것으로 확인됐다.

한국석회석신소재연구소는 이외에도 친환경 시멘트 개발에 주력해왔는데, 그중 하나는 **'천연수경성시멘트'** 제조기술이다. 연구소는 점토성분이 다량으로 포함된 석회석과 백운석을 이용한 천연수경성시멘트 제조기술을 개발했으며, 천연수경성시멘트는 중금속 등의 유해성분 함량이 거의 없어 아토피 등의 환경에 민감한 체질의 사람과 접촉해도 안전한 생체친화성 재료인 것으로 알려졌다.

2019년부터는 한국생산기술연구원 및 시멘트 업체와 공동으로 초미세먼지 생성물질인 **'질소산화물을 제거할 수 있는 기술'** 개발도 추진하고 있다. 현재 시멘트 업체는 고온의 온도에서 요소수를 분사하여 질소산화물을 제거하는 공정을 운영하고 있으나, 제거효율이 50~60%로 낮아 개선이 필요한 상황으로 알려졌다.

이에 시멘트 소성로 연소 조건 확보를 통한 질소산화물 발생억제 및 최적 요소수 분사공정을 통한 제거효율 향상으로 나누어 실험을 진행하고 있으며, 기술개발에는 첨단센서 및 IT기반

시뮬레이션 등 최신 기술을 적용하여 기술의 신뢰성 및 경제성 확보에도 주력하고 있다.

마지막으로 연구소는 **'이산화탄소 흡수 친환경시멘트'** 기술개발도 진행 중인데, 기존의 보통시멘트와 비교했을 때, 최대 60% 가량 이산화탄소 배출을 저감할 수 있는 친환경시멘트 개발을 추진할 예정이다. 이러한 친환경시멘트는 이산화탄소를 흡수해 광물화하는 원료가 포함되어 생산공정에서 이산화탄소 발생을 억제하는 효과가 있는 것으로 알려졌다.[46)]

(5) 삼표시멘트

삼표시멘트가 **순환자원 재활용 설비구축**으로 20억원을 투자한다는 소식을 전했다. 삼표시멘트는 삼척 남양동 삼척매립장에서 '삼척시 가연성 생활폐기물 연료화 전처리시설 준공식'을 개최하고, 이 시설을 통해 선별된 폐비닐 등 가연성 생활폐기물을 재활용해, 시멘트 제조공정에서 사용되는 수입 유연탄을 대체하겠다는 계획을 밝혔다.

삼척시 가연성 생활폐기물 연료화 전처리시설은 지난 2016년 3월 삼척시와 삼표시멘트가 체결한 '폐기물 자원순환 실현을 위한 상생협력'을 통해 건립됐다. 총 22억5000만원의 사업 비용 중 삼표시멘트가 20억, 삼척시가 2억5000만원을 각각 투자했다. 삼척시 재활용 선별장 내에 있는 이 시설은 일일 70t 처리 규모로 파쇄·분쇄시설, 선별설비 등으로 구성됐다. 삼표시멘트는 앞으로 삼척시에서 발생하는 폐비닐 연간 1만8000t(5억4000만원 상당)을 무상으로 처리할 예정이라고 밝혔다.

한편, 삼표는 이번 사업을 계기로 시멘트사업에 대한 사회적 인식도 개선될 수 있다는 기대감을 밝혔다. 이미 유럽에서는 시멘트공장의 폐기물 재활용 시설이 상용화돼 시멘트산업의 친

46) 부가가치 창출의 주역 '단양 한국석회석신소재연구소'/중부매일

환경 가치 실현, 사회적 책임 완수 등 측면에서 인정받고 있다. 한국시멘트협회 등에 따르면 유럽의 시멘트 소성로의 대체연료 사용 비율은 41%인데, 독일은 무려 65%에 달한다. 반면 국내의 대체연료 사용률은 약 20%로 독일의 3분의 1 수준에 불과하다.

삼표시멘트 관계자는 “시멘트 소성로의 내부온도는 최대 2000도씨에 달해 900도씨에 불과한 소각로와 달리 폐기물의 완전 분해 및 연소가 가능하다”며 “소성로를 활용해 다양한 가연성 폐기물을 유연탄 대체제로 사용할 수 있어 자원의 순환이용과 유연탄 사용절감을 통한 온실가스 배출량을 줄일 수 있다”고 설명했다.[47]

이번 사업으로 업계는 삼표시멘트와 삼척시가 서로 ‘윈윈(win-win)’하는 결과를 거둘 것이라고 평가했다. 삼척시는 지역 기업과 협력해 폐기물을 친환경적으로 재활용할 수 있고, 삼표시멘트는 사회적 가치창출을 위해 이윤의 일부를 지역사회에 환원함으로써 지속가능한 발전을 도모할 수 있을 것으로 기대하고 있다.[48]

삼표그룹이 각종 산업 부산물을 건설기초소재로 자원하하여 혼합재를 만들고 있다는 소식을 전했다. 우선 삼표그룹 계열사로 충남 보령·당진과 전남 여수 3곳에서 플라이애시(Fly Ash) 공장을 가동 중인 에스피네이처는 화력발전소에서 발생한 부산물을 활용해 콘크리트 제조과정에서 시멘트를 대체하는 혼합재를 생산하고 있다. 또, 충남 당진과 천안 2곳의 공장에서는 제철소에서 발생하는 슬래그(Slag)를 가공해 건설기초소재인 고로슬래그시멘트를 만들고 있다.

한편, 삼표그룹은 친환경 소각장과 폐수 슬러지(하수 처리시 생기는 침전물) 건조시설 등도 운영 중이며, 이 같은 자원재활용 사업이 국내 폐기물 처리에 큰 기여를 할 것이라고 언급했다. 또한 “버려질 산업 폐기물과 생활 폐기물을 자원으로 재활용하는 것만으로도 문제 해결에 큰 도움이 될 수 있다”며 “앞으로 **정부의 자원순환정책에 동참**하고 친환경 사업을 위한 기술개발에도 지속적으로 투자해 '친환경 BUILDING MATERIALS 1등 기업'이라는 삼표그룹의 비전을 실현하겠다”고 강조했다.[49]

---

47) 삼표시멘트, 가연성 생활폐기물 유연탄 대체연료로 재활용/브릿지경제
48) 삼표시멘트, 20억 투자…순환자원 재활용 ‘力’ 싣는다/뉴스웨이
49) 친환경 속도내는 삼표, 자원 재활용 앞장/파이낸셜뉴스

(6) 현대오일뱅크

현대오일뱅크가 태경비케이와 **탄산칼슘 제조기술 상용화**를 위한 업무협약(MOU)을 체결했다는 소식을 전했다. '탄산칼슘'은 시멘트 등 건축자재와 종이, 플라스틱, 유리 등의 원료로 사용되는 기초 소재로, 온실가스 등 원유 정제과정에서 발생하는 부산물이다. 따라서 탄산칼슘을 제조하는 친환경 기술을 세계 최초로 상용화하면 제품 판매와 온실가스 저감으로 연간 100억원의 영업이익이 개선되는 효과를 기대할 수 있다.

한편, 현대오일뱅크와 MOU업무협약을 체결한 태경비케이는 온실가스를 활용한 탄산칼슘 제조 기술을 보유하고 있는 국내 대표 석회제조사다. 현대오일뱅크는 올해 안에 파일럿테스트와 공정설계 단계를 마무리 짓고 내년 하반기까지 300억원을 투자해 대산공장 내 연간 60만톤 규모의 탄산칼슘 생산 공장을 완공할 계획이라고 밝혔다.[50)]

---

50) 현대오일뱅크, 온실가스로 시멘트·종이 만든다/국민일보

(7) 쌍용양회

쌍용양회

쌍용양회도 친환경 설비에 적극적인 투자를 하고 있다. 쌍용양회는 2018년 1100억원을 투자해 단일 시멘트공장으로는 세계 최대인 43.5MWh 규모의 **폐열발전설비**를 동해공장에 설치한 바 있다. 폐열발전설비는 대기로 배출되는 열원을 회수하기 위해 예열실과 냉각기에 별도의 보일러를 설치해 스팀을 생산하고, 생산된 스팀으로 터빈(발전기)을 가동해 전력을 생산하는 친환경 설비를 말한다.

또한 매년 오염된 기체 속에 부유하고 있는 고체나 액체 미립자를 제거하는 장치인 집진기도 1~2대씩 새 장비로 교체하고 있고, 동해공장의 석회석 야적장도 옥내 시설로 바꿨다고 전했다. 더불어 집진기 1대 설치에 70억원 정도의 비용이 소요되는 만큼 쌍용양회는 집진기 교체에만 매년 140억원을 투입하는 등 친환경 설비 유지·보수를 위해 매년 수백억원을 투자하고 있다고 밝혔다.[51)]

한편, 쌍용양회의 주식시장 상승세 소식이 전해졌다. 시멘트 제조업체 쌍용양회는 친환경적인 경영으로 체질 개선에 성공하면서 주식시장 내에서 상승세를 유지하고 있다고 밝혔다. 코로나19로 인하여 시멘트 업계는 원가절감의 수혜를 보았지만, 시멘트의 출하량이 감소하는 상황으로 타격을 입은 바 있다. 그러나 쌍용양회는 코로나19로 인한 원가절감 등의 수혜 외에도 친환경 경영 전략을 통한 체질개선에 앞장서 왔다.

51) 시멘트 공장 온실가스 배출 주범은 '옛 말'…오염물질 이유 있는 감소/아시아경제

지난 2016년 사모펀드 업체 한앤컴퍼니는 쌍용양회를 인수한 뒤, 친환경 설비에 수 천억원대의 거액을 투자하며 비용 절감에 나섰다. 시멘트 생산 과정서 발생한 열을 대기로 배출하지 않고 전력으로 재생산하는 '친환경 폐열발전 설비' 및 심야시간에 전력을 충전했다가 낮에 활용할 수 있는 '에너지저장장치(ESS)'를 설치해 생산과정에서 비용을 절감했다. 또 노후화된 장치를 교체해 생산효율을 끌어올렸다.

따라서 투자업계는 코로나19의 여파로 2분기까지는 시멘트 출하량이 감소할 것으로 예측되지만 쌍용양회는 지속적인 이익 실현이 가능할 것으로 전망돼 매수세를 유지해야 한다고 평가했다.[52]

(8) 아세아시멘트

아세아시멘트(주)가 보통포틀랜드시멘트(이하 'OPC') 대체용 **'친환경 저활성 CSA계 시멘트'**를 특허 취득했다는 소식을 전했다. CSA(Calcium Sulfo Aluminate)계 시멘트는 OPC에 비해 생산시 CO2 배출량이 적고 에너지 소모가 적은 것으로 알려져 있다. 특히 품질 측면에서 팽창효과에 의해 수축을 저감시키고 내구성이 뛰어난 것으로 주목받는 저에너지 친환경 시멘트이다. 아세아시멘트는 CSA계 시멘트가 고내구성, 수축저감용 시멘트로 산업부산물 사용 및 천연자원인 석회석 소비를 줄일 것으로 내다봤고, 현행대비 약 150℃ 이상의 낮은 온도에서 제조함으로써 CO2 배출을 감소시켜 향후 온실가스 배출량 저감 및 OPC를 대체할 것이라고 언급했다.[53]

---

52) 쌍용양회, 친환경 전략으로 '깜짝실적'…주식 매수가치 상승/그린포스트코리아
53) 아세아시멘트, 친환경 저활성 CSA계 시멘트 특허 취득/동양일보

(9) 한국해양과학기술원

한국해양과학기술원(KIOST)이 '굴패각'으로 친환경 해양생태블록을 만드는 기술을 개발하고 이를 상용화하기 위해 연구소기업을 설립했다는 소식을 전했다.

우리나라 남해안 거제도, 통영 일대는 플랑크톤이 풍부해 양식 굴 최대 산지다. 그 덕에 질 좋은 굴을 저렴하게 즐길 수 있게 됐다. 하지만 수확한 굴의 껍질을 제거하는 과정에서 발생하는 굴패각이 매년 25만t에 이른다. 채묘(採苗)나 석회비료 등으로 약 18만t이 쓰이지만 7만여t은 제대로 폐기되지 않아 주변 경관을 해치고 악취의 원인이 되고 있다. 이에 2000년 이후 굴패각을 대량으로 활용할 방안에 대한 연구가 활발히 진행됐다. 굴패각 성분의 90% 이상이 시멘트의 주원료인 탄산칼슘(CaCO3)이라는 점에 착안해 친환경 바이오시멘트 개발 연구가 늘었다.

이에 따라 한국해양과학기술원은 **기존 석회석을 원료로 한 시멘트를 굴패각으로 대체**하는 기술을 개발해 천연 시멘트 성분의 생태블록을 조성한다는 계획을 전했다. KIOST가 개발한 친환경 해양생태블록은 50% 이상의 굴패각 분말과 해조류 및 물고기가 좋아하는 특수재료가 첨가된 친환경 해양 바이오 시멘트로 제작되며 아미노산과 유기물 성분을 포함한 부식토로 구성된 굴패각 시멘트 도포(코팅)재로 표면 처리한다. 이 도포재는 플랑크톤을 증식시키고 수초와의 친화력을 높여 미생물 등이 수초에 잘 부착되도록 도와주는 등 해저 생태계 환경 조성에 큰 역할을 한다. 또한 이미 사용 중인 콘크리트 어초블록의 표면에도 친환경 도포 처리가 가능해 콘크리트가 발생시키는 암모니아 등의 유해한 성분과 강알칼리성을 중화시킬 수 있다. 또한 이 기술은 한국발명진흥회를 통해 지난해 9500만 원의 기술 가치를 평가받았다.[54)]

---

54) 바닷속 방치된 굴패각 재활용…친환경 해양생태블록 만든다/국제신문

이처럼 굴패각이 포함된 바이오시멘트로 생태블록을 쌓아 어류의 서식처가 될 바다숲이나 어류 산란장 등을 조성하면 해양생태계 복원에 큰 도움이 될 것으로 기대되며, 또한 테트라포드 같은 해양 분야뿐만 아니라 물양장, 어항시설물 등 해양토목 분야까지 범위를 넓힌다면 폐기물 처리와 환경보호를 동시에 만족시키는 획기적인 결과를 얻을 것으로 보인다.[55]

(10) 코스처

한편, '일본산 석탄재 수입'이 지속적으로 논란이 되자, 시멘트 업계들은 국내산 석탄재를 활용할 수 있는 방안을 모색하고 있는 것으로 알려졌다.

이에 따라 삼표그룹과 한국남부발전㈜이 **일본산 석탄재 수입을 대체할 석탄재 공급 사업**을 본격적으로 개시했다는 소식을 전했다. 이에 따라 두 기업은 특수목적법인인 ㈜코스처를 공동으로 설립했다. 삼표그룹에 따르면 한국남부발전 하동·삼척발전본부에서 발생된 석탄재가 코스처를 통해 국내 시멘트사, 플라이애시 정제 공장 등에 첫 공급됐다.

코스처는 운송 다각화를 통해 석탄재 공급물량을 연간 최대 30만톤까지 늘린다는 계획을 밝혔으며, 석탄재를 선박으로 운송하는 해송(海送) 시스템을 구축 중이라고 덧붙였다. 또한 올해 하반기부터 한국남부발전 하동발전본부에서 나오는 석탄재는 육·해송이 병행될 계획이라고 전했다.

삼표 관계자는 "이번 코스처의 석탄재 공급은 국내산 석탄재 재활용 확대와 순환자원정책 이행을 위한 그간의 노력들이 맺은 첫 결실이라는 점에서 의미가 크다"며 '재활용 가능한 자원의 매립을 줄이고 순환자원 활용을 극대화한다'는 순환자원정책의 취지에 맞춰 국내산 석탄재 활용 방안을 다각적으로 모색하겠다"고 밝혔다.[56]

55) [요즘 과학 따라잡기] 굴껍질로 만드는 바이오시멘트/서울신문
56) 일본산 석탄재 대체하는 코스처/서울경제

(11) 한국남부발전

일본산 수입 석탄재 대체를 위한 국내산 석탄재 재활용 사업에 시멘트업계와 각 발전소가 손을 잡는 사례가 많아지고 있다.

한국남부발전은 **화력발전 부산물 석탄재를 재활용**하여 다양한 친환경 사업을 추진하고 있다는 소식을 전했다. 석탄재는 발전소에서 석탄을 연소한 뒤 발생하는 부산물로, 주로 레미콘 혼화재나 시멘트 원료 등으로 재활용할 수 있다.

이에 대하여 한국남부발전은 연구개발로 100만t 석탄재 재활용에 성공했다는 소식을 전하며 삼척발전본부가 2017년 준공 후 16만t을 시작으로 석탄재 누적 재활용량이 100만t을 돌파했다고 밝혔다. 그동안 발전소에서 연소 후 발생하는 석탄재는 일반적으로 석탄재 처리장에 매립되지만, 비산 등의 문제로 민원 대상이 되어왔다. 그러나 남부발전은 열을 순환해 석탄을 완전 연소하는 친환경 발전설비인 순환유동층 보일러를 활용해 석탄재를 레미콘 혼합 재료로 재활용하고 있다.[57]

한편, 한국남부발전은 2017년 삼척발전본부에 석탄재 재활용을 담당하는 특수법인 '삼척에코건자재'를 설립해 석탄재를 활용한 친환경 건축자재를 생산하고 있으며, 최근에는 한일 무역분쟁으로 일본 석탄재 수급에 어려움을 겪는 **시멘트업계를 위해 석탄재 대체 공급을 담당**하는 전문법인 설립을 추진 중인 것으로 알려졌다. 이 전문법인은 일본 석탄재 수입 제로화 정책을 선도하고 시멘트 업계에 안정적으로 연료를 공급하는 역할을 한다. 이 같은 석탄재 재활용 노력에 힘입어 남부발전은 2016년부터 지난해까지 국내 발전사 가운데 4년 연속 석탄재 재활용률 1위를 차지하기도 했다.[58]

57) 남부발전 폐기물인 석탄재 100만t 재활용 성공…일본산 대체/연합뉴스

(12) 한국중부발전

한국중부발전이 일본산 석탄재를 대체하기 위해 **보령발전본부 매립석탄재를 시멘트 원료**로 재활용한다는 소식을 전했다.

이에 따라 중부발전은 국내 시멘트 5개사(성신양회, 쌍용양회, 아세아, 한일, 한일현대시멘트)와 보령발전본부 매립석탄재 60만톤을 시멘트 원료로 재활용하는 계약을 체결한 것으로 알려졌다. 이는 일본산 석탄재 수입량(2018년 기준 128만톤)의 15%를 대체할 수 있는 물량이다.

한편, 중부발전은 계약체결 후 5개월간 약 5억원을 투자해 비산먼지 방지를 위한 설비를 집중 보강했다. 차량으로 인한 비산먼지 방지를 위해 세륜기를 설치하고 현장에는 살수차를 상시 배치해 비산먼지 발생 우려 구역에 사전에 살수해 비산먼지 발생을 예방할 계획이라고 전했다. 중부발전은 이 사업에 예산 161억원을 투입한 것으로 알려졌다.[59]

58) 시멘트 원료·친환경 토양 등…화력발전 부산물 석탄재 변신/연합뉴스
59) 중부발전, 일본산 석탄재 대체…매립석탄재 재활용 개시/ZDnet Korea

(13) 한국남동발전

한국남동발전도 일본산 석탄재 수입을 줄이기 위해 **국내 시멘트 회사에 대한 석탄재 공급**을 늘린다는 소식을 전했다. 한국남동발전은 2018년 59만t, 지난해 91만t의 석탄재를 시멘트 원료로 공급한 바 있으며, 올해부터는 영흥발전본부 석탄회처리장에 매립된 석탄재의 시멘트 원료 공급을 확대하기 위해 지난해보다 약 10만t 늘어난 물량을 국내 시멘트사로 공급할 계획이라고 밝혔다. 현재 국내 시멘트사 전체 석탄재 사용량의 30%를 공급하는 남동발전은 올해 공급량을 지난해보다 확대함으로써 일본산 석탄재 수입물량을 억제하는 효과가 있을 것으로 전망했다.[60]

---

60) 남동발전, 시멘트 회사에 석탄재 공급 확대…"일본산 대체"/연합뉴스

(14) 대호산업개발

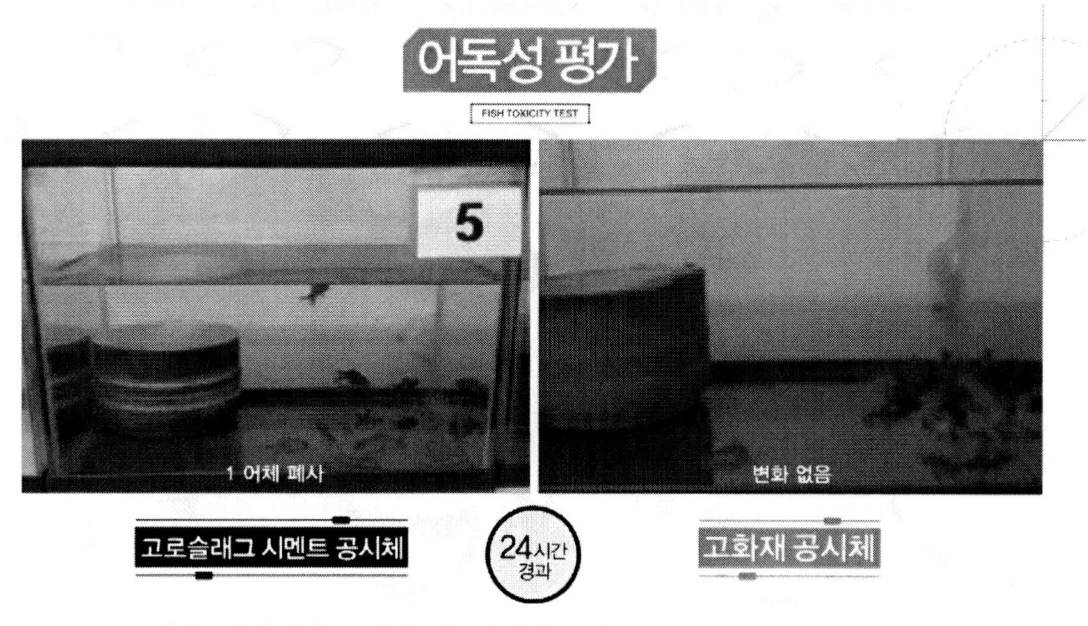

[대호산업개발 고화재 어독성평가/출처: 대호산업개발 홍보영상]
61)

대호산업개발이 석회석 시멘트를 대체하기 위해 **'친환경 고화재'**를 개발했다는 소식을 전했다. 시멘트는 통상 석회석을 채굴해 고온에 구워 갈아서 만드는데, 이 과정에서 비산먼지나 시멘트를 굳히는 과정에서 나오는 침출수 등이 환경오염 주범으로 지목돼 왔다.

대호산업개발㈜은 이에 착안해 지난 2011년 제철소 부산물 등 산업부산물을 원재료로 하여 시멘트를 사용하지 않는 무시멘트 고화재를 개발, 상용화하는데 성공했다. 개발된 고화재는 친환경적이고 가격도 시멘트보다 10~20%가량 저렴하다. 품질도 기존 시멘트와 같지만 이미 오랫동안 사용돼 온 시멘트를 대체하기에는 검증이 미비한 신규제품이라는 한계가 있었다. 하지만 친환경 문제가 불거지면서 고화재는 이제 항만 등 대형 건설현장에서 기존 시멘트를 빠르게 대체하고 있다.

실제 대호산업개발㈜은 2011년 제품 개발 이후 다수의 육상 토목공사 현장에 고화재를 공급하며 기존 시멘트를 대체해 나갔고, 2016년 9월~2017년 3월까지 울산지방해양항만청이 발주한 '울산신항 북항 방파호안 축조공사'에 국내 최초로 해상공사현장에 고화재를 공급해온 것으로 알려졌다.

---

61) http://www.daehogroup.co.kr/ 대호산업개발

한편, 대호산업개발㈜는 내년 매출을 150억원 정도로 예상하고 있다고 밝히며, 국내 대형 토목공사에 사용되는 고화재 시장은 연간 300억원에 머물고 있지만 시장이 본격 성장하게 되면 연간 3,000억~3,500억원으로 커질 수 있다고 덧붙였다.

또한 대호산업개발은 중소기업으로는 드물게 매년 수억원을 R&D에 투자해 제품 업그레이드에 나서고 있는 것으로 알려졌다. 기존에 시멘트를 사용하는 공법에 고화재 대체가 가능하다는 검증을 위해 정부 발주 R&D 사업에도 적극 참여하고 있다. 대호산업개발의 관련 등록 특허는 15건, 출원 특허는 6건이다.[62]

62) "친환경 시멘트가 대세".. 기존 시멘트 빠르게 대체하는 '고화재'/서울경제

(15) 한국건설기술연구원

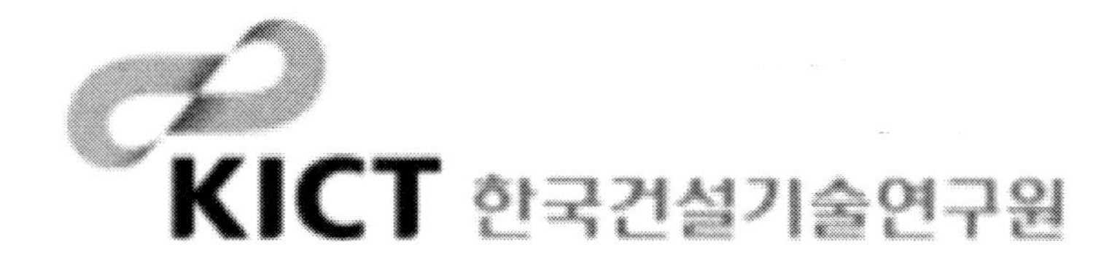

한국건설기술연구원이 노후시설물의 하중저항능력을 2배, 내구수명을 3배 향상시킬 수 있는 보강공법을 개발했다고 밝혔다. 이는 불에 타지 않는 탄소섬유 보강재와 시멘트 혼합물을 활용해 터널·교량 등 노후시설물을 효과적으로 보강하는 공법을 말한다.

한국건설기술연구원은 이러한 신 보강공법으로 노후시설물의 하중저항능력을 2배, 내구수명을 3배 향상시킬 수 있다고 언급했다. 또한 기존 공법대비 시공비는 45% 절감된다고 덧붙였다.

노후 콘크리트 시설물은 성능개선공사를 통해 시설물의 사용수명을 늘리는 것이 필요하다. 기존 시공방법은 고강도 탄소섬유를 시트나 판넬형태로 접착을 하는 방식이었다. 탄소섬유를 활용한 기존 보강 공법은 구조물에 에폭시 수지 등 유기계 접착제를 활용해 탄소섬유시트나 판넬을 부착하는 방식을 활용한다. 그러나 유기계 접착제가 화재에 취약하고 지하구조물 등 표면이 젖은 구조물에 시공할 수 없으며, 시공 후 접착된 부위가 수분에 노출되는 경우 탄소섬유가 탈락하는 문제점이 있다.

이에 건설연 연구팀은 기존 탄소섬유 접착공법의 문제점을 개선하기 위해 유기계 접착제 대신 '시멘트 혼합물'을 활용하는 공법을 개발했다. 공법은 노후 시설물 표면에 격자 형상으로 제작한 탄소섬유 보강재와 고성능 시멘트 혼합물을 일체화 시공해 보강하는 것이다. 시멘트 혼합물이 접착제 역할을 대신한다.

건설연은 신 보강공법이 시공속도를 기존 대비 2배 이상 향상시킬 수 있다며 경제성 측면에서도 기존 탄소섬유 접착공법에 비해 약 45%의 시공비 절감이 가능하다고 설명했다.[63]

---

63) 노후시설물 하중저항능력 2배·내구수명 3배↑…건설연, 보강공법 개발/대한전문건설신문

Ⅳ.해외 시멘트 산업 분석

IV. 해외 시멘트 산업 분석

1. 폐기물 시멘트에 관한 해외사례

"폐기물 시멘트에 관한 갑론을박,
해외는 이미 친환경 시멘트로 대체"

앞서 언급했듯이, 우리나라는 현재 '폐기물 시멘트'에 대해 '순환자원 원료다', '쓰레기 시멘트다'로 시멘트 업계의 입장과 시민단체의 입장이 갈리고 있다. 어떤 쪽의 주장이 더욱 근거있는지 알 수 없지만, 해외에서는 폐기물 시멘트에 대해 어떻게 활용하고 있는지 참고해 보고자 한다.

순환자원으로 쓰이는 폐기물은 석탄회, 하수슬러지 소각회, 비철금속 슬래그 등이 있으며 폐타이어, 폐유, 폐플라스틱, 재생연료유 등은 시멘트 공정에서 유연탄을 대체하는 대체연료로 활용되고 있다.

한편, 시멘트는 주원료인 석회석과 점토질원료, 규산질원료, 산화철원료 등을 적정 비율로 혼합해 만들어진 조합원료를 고온(1450도)의 소성로에 투입시켜 만들어진다. 석탄회, 하수슬러지 소각회 등의 순환자원은 일정비율로 조합원료에 섞여지고 이후 고온의 소성로에서 화학반응을 일으켜 시멘트에 필요한 CaO, SiO2, Al2O3, Fe2O3 등의 성분으로 변하게 되는데, 순환자원에 함유돼 있는 중금속은 화학반응을 통해 시멘트제품에 고착화돼 용출되지 않게 된다.

해외 사례를 참고해보자면, 프랑스, 독일, 덴마크, 미국, 캐나다 등 선진국들은 이미 지난 1990년대 초반부터 폐기물(순환자원)을 시멘트 생산의 원료 및 연료로 적극 활용하고 있다. 각 국가의 정부와 지자체는 순환자원 활용의 '최적 창구'로서 시멘트공장을 인정하고 있으며, 사회적으로도 우리나라와 달리 시멘트사업은 친환경사업으로 자리매김돼 있는 실정이다. 이들 국가에서 순환자원 활용량은 갈수록 늘어나고 있으며, 유럽과 일본에서는 이미 시멘트 t당 400㎏ 이상의 순환자원을 사용하고 있다. 심지어 노르웨이는 유해폐기물인 인쇄회로기판(PCB)마저 시멘트공장에서 처리하도록 정책적으로 추진되고 있으며 영국에서는 광우병에 걸린 가축들의 소각잔재물을 시멘트 소성로에서 연소시킨바 있다.

“일본, 2006년부터 도쿄 에코 시멘트화 시설 가동 중”
“폐기물 시멘트, ‘에코 시멘트’라고 불려”

일본 또한 폐기물 시멘트를 ‘에코 시멘트’로 활용하고 있는 대표적인 국가다. 일본 동경 타마(多摩) 지구 26개 市町의 도쿄 광역자원순환조합이 관리하는 닛쯔카(二ッ塚) 폐기물 광역처분장에 완공된 ‘도쿄 에코 시멘트화 시설’은 2006년 6월부터 가동되었다.

이 시설에서는 각 지자체로부터 반입된 쓰레기 소각재에 석회나 철분 등을 혼합해 시멘트를 제조한다. 연간 약 9만 4000톤의 소각재에서 약 13만 3000톤의 시멘트를 제조할 것으로 예상하고 있다. 이 시설은 2003년부터 약 270억 엔(약 2241억 원)을 들여 건설되었으며, 유지관리에 연간 약 26억 엔(약 216억 원)이 소요될 전망이다. 도쿄 광역자원순환조합은 태평양시멘트 등이 출자해 만든 도쿄 에코 시멘트 주식회사에 20년간 운영을 위탁했다. 닛쯔카 폐기물 광역처분장은 1998년에 매립했고, 2000년 확장공사 때 토지양도를 거부하는 트러스트 운동이 일어나 강제수용을 단행하면서 사회적으로 큰 문제가 되었다. 기존 상태로는 처분장 내 매립이 2013년까지만 가능했지만 이 시설이 완공됨으로써 향후 30년간 사용할 수 있을 것으로 보고 있다.[64)]

한편, 일본의 시멘트업체인 태평양시멘트는 에코시멘트 제조로 인해 일본정부가 주도하는 아이치만국박람회협회에서 ‘사랑·지구상’을 수상하기도 했다. 정부가 직접 에코시멘트의 환경적 효용을 인정한 것이다.

“프랑스와 독일도 폐기물 활용해 ‘에코시멘트’ 만들어”

프랑스와 독일에서도 에코시멘트는 일반화돼 있는 실정이다. 그동안 업체들이 엄격한 품질관리를 통해 원료로 쓸 수 있는 순환자원을 자체적으로 선별해 사용하는 시스템을 구축했다. 프랑스 정부는 에코시멘트 업체에 세금혜택을 주고 있으며, 독일에서도 에코시멘트의 안전성은 검증된 상태로 시민들은 오히려 에코시멘트 제조업체에 환영을 보내고 있는 실정이라고 알려졌다.[65)]

---

64) 소각재를 활용해 시멘트를 만드는 ‘도쿄 에코 시멘트화 시설’ 완공 (동경都 타마 지구)/서울연구원
65) [시멘트업계, 이제는 친환경 승부] <3부> 유럽등 선진국, 환경시멘트 각광/파이낸셜뉴스

프랑스 파리 외곽 300㎞ 남동쪽에 지어진 '라파즈 프렌지 공장'은 1980년부터 폐기물을 재활용해 시멘트를 만드는 보조원료로 쓰고 있다.

프렌지 공장은 20층 빌딩만한 높이(70m)의 소성로(燒成爐)가 있으며, 이 소성로에는 석탄 사용량을 줄이기 위해 폐타이어와 폐유, 폐플라스틱, 재생 기름 같은 온갖 폐기물이 석탄과 함께 연료로 쓰이고 있다. 또한 석회석이 주 원료인 시멘트를 만드는 과정에도 석탄회와 하수 침전물 소각재, 비철금속 찌꺼기 같은 온갖 폐기물이 쓰인다.

소성로에 부어지는 폐기물은 대게 '가연성 고체 폐기물(Solid Sherred Waste)'이며, 이 고체 폐기물은 외부 업체에서 폐기물을 섞어 굳힌 뒤 불에 잘 타도록 담배 꽁초만한 크기로 다시 잘게 썰어서 준다.

프렌지 공장의 부사장은 "순환자원을 사용하기 때문에 이산화탄소 배출량 감소 효과도 있다"고 설명하며, 덕분에 1990년 시멘트 t당 750㎏이던 이산화탄소 배출량은 2006년 t당 650㎏으로 줄었다고 덧붙였다.[66]

66) 폐기물로 지구 살리는 유럽/조선비즈

2. EU 순환경제 패키지

이에 따라 유럽연합(EU)에서는 지난 **2018년 5월 'EU 순환경제 패키지' 법**을 승인하면서 시멘트 소성로를 활용한 순환자원 활성화를 적극 장려한 바 있다. 따라서 다음에서 'EU 순환경제 패키지'법에 대해 자세히 살펴보고자 한다.

2015년 12월 2일, EU는 **'순환경제를 위한 EU행동계획'**을 채택하여 일자리와 성장 잠재력을 지닌 혁신적인 의제를 제공하고, 지속가능한 개발(SDGs, 2030)을 위한 소비 및 생산 패턴을 육성하는 것을 목표로 했다. 폐기물법령에 관한 개정안 내용은 다음과 같다.

• EU 공통 목표 : 2030년까지 지자체 폐기물의 재활용률 65% 달성 • EU 공통 목표 : 2030년까지 용기포장 폐기물의 재활용률 75% 달성 • 강제력 있는 목표 : 2030년까지 모든 폐기물의 매립률을 최대 10%로 감소 • 분리 수거된 폐기물의 매립금지 • 매립을 감축하기 위한 경제적 인센티브 개발 • EU 전체에 적용되는 통일적인 재활용률 산출방법과 정의의 간소화 및 개선 • 재사용(Reuse) 및 산업공생(Industrial Symbiosis) 촉진을 위한 구체적 시책 • 친환경적 제품 출시를 촉진하고, 회수·재활용 체계를 지원하기 위한 생산자에게 경제적 인센티브

또한 EU의 순환경제 정책에는 '폐기물 관리 우선순위'가 제시되어 있다. 이의 주된 목적은 불리한 환경 영향을 최소화하고 폐기물 예방 및 관리의 자원효율을 최적화하는 우선순위를 정하는 것이다. 이 의사소통은 다음과 같은 주요 폐자원에너지 공정을 포함한다.

• 연소 플랜트(예 : 발전소) 및 시멘트 및 석회 생산에서 폐기물의 혼합소각 • 전용시설의 폐기물 소각 • 생분해성 폐기물의 혐기성 소화 • 폐기물에서 추출한 고체, 액체 또는 기체 연료의 생산 • 열분해 또는 가스화에 의한 간접 소각을 포함한 기타 공정

EU 정책을 살펴본 결과, 폐자원에너지는 폐기물관리 우선순위 원칙에 의해 진행되어야 함을 강조하고 있다. 발생억제(예방), 재사용 및 재활용의 높은 수준을 방해하지 않는다면 순환경제로의 이행에서 역할을 할 수 있다고 제언하고 있다. 이는 환경적으로나 경제적으로 순환경제

의 완전한 잠재력을 보장하고 녹색기술 분야에서 EU의 리더십을 강화하기 위한 필수 요소로 보고 있다. 폐기물과 에너지가 에너지연합 전략 및 파리협약에 의해 순환경제의 탈탄소화 기여도를 극대화할 수 있다는 것은 폐기물관리 정책의 우선순위를 존중함으로써만 가능하다.

앞서 언급했듯이 에너지 절감 및 온실가스 배출량 저감 측면에서 가장 큰 기여를 하는 것은 폐기물 발생억제 및 재활용이다. 미래에는 생분해성 폐기물의 혐기성 소화와 같은 물질 공정과 에너지 회수와 결합되는 공정에 대한 보다 많은 고려가 필요하다. 반대로 재활용 및 재사용의 증가가 방해받지 않고 잔여 폐기물처리를 위한 폐기물 소각의 역할(현재 가장 중요한 폐자원에너지 옵션)을 조명할 필요가 있다. 이에 따라 EU위원회는 모든 회원국들이 EU 법률에 따라 폐기물관리 계획을 평가하고 개정할 때 커뮤니케이션에 제공된 지침을 고려해야 한다고 촉구하고 있다.[67]

다음으로는 2018년 5월에 최종 승인된 '순환경제 패키지' 개정안을 자세히 살펴보고자 한다. 2015년 12월에 제안되어 2018년에 승인된 순환경제 패키지의 4개 지침은 △배터리 및 전기전자폐기물 △폐기물 매립 △폐기물 △포장 폐기물 4개의 지침(Directive) 개정안으로 구성되었다.

EU 집행위원회는 순환경제로의 전환을 재정적으로 지원하기 위해 유럽전략투자기금, R&D 프로그램인 Horizon 2020 기금 및 구조기금을 활용할 것이라고 밝혔으며, 순환경제 패키지와 함께 발표된 순환경제 가이드라인은 제품의 생애주기 전 과정에서 환경피해 최소화 및 자원효율성 제고를 목표로 하며, 특히 제품의 설계가 재활용 제고 및 제품 사용주기 확대에 중요하다고 강조하였다.

한편 순환경제로의 전환 정도를 평가하기 위한 지표를 제시하였는바, △생산과 소비(원료자급률, 그린정부조달, 폐기물 발생량, 음식 쓰레기) △폐기물 관리(전체 폐기물의 재활용률, 특정 폐기물의 재활용률) △2차 원료(1차 원료 대비 재활용 원료의 사용 비중, 재활용 원료의 교역) △경쟁력 및 혁신(민간투자 및 일자리, 특허) 분야로 구성되어 있다.

포장 폐기물의 재활용은 2030년까지 최소 70%를 목표로 하고 있으며, 포장재의 재질에 따라 목표치는 목재 30%, 알루미늄 60%, 유리 75%, 종이 85%, 플라스틱 55%이며, 주요 정책 목표는 다음과 같다.[68]

---

67) 『순환경제와 폐자원에너지의 역할: EU 정책 중심으로』 KEITI 한국환경산업기술원
68) European Union(2018), *Directive 2018/849 amending Directive 2000/53/EC on end-of-life vehicles, 2006/66/EC on batteries and accumulators and waste batteries and*

순환경제 패키지 주요 목표

2025년까지	도시 폐기물의 재사용 및 재활용률 최소 55% 달성
	음식물류 폐기물 30% 감축
2030년까지	포장재 폐기물 최소 70% 재활용(2025년: 65%)
2035년까지	도시 폐기물의 매립률을 25% 이하로 감축
	도시 폐기물의 재사용 및 재활용률 최소 65% 달성
2030년부터	에너지 회수가 가능한 재활용 가능 폐기물의 매립 금지

EU 집행위원회는 순환경제로의 전환을 지원하기 위해 유럽전략투자기금은 물론 R&D 혁신 프로그램인 Horizon 2020의 기금 및 구조기금 등을 활용할 계획이며, 순환경제로의 전환이 기술혁신과 산업계 전반의 개혁을 요구한다고 보고, 800억 유로 규모의 Horizon 2020의 'Industry 2020 in the circular economy'를 통해 6억 5,000만 유로를 지원했다.

또한 EU 집행위원회는 2015년에 순환경제를 위한 행동계획을 발표하고, 주요 가이드라인을 제시한 바 있다.[69] 순환경제는 제품의 생애주기 전 과정에서 환경피해의 최소화 및 자원효율성 제고를 목표로 하며, 특히 제품의 설계(디자인)가 재활용 제고 및 제품 사용주기 연장에 중요하다고 강조했다. 폐기물 관리에서 매립은 가장 비효율적인 방식이고, 다음은 재활용, 재사용, 폐기물 감축으로 EU의 순환경제 패키지는 자원효율성 제고를 위해 경제 전반에 걸친 구조적인 노력을 촉구하였다.

EU의 순환경제 행동계획은 생산, 소비, 폐기물 재활용 및 재사용의 구체적인 내용을 제시한다. 이는 순환경제의 우선 관심 분야로 음식물 쓰레기, 핵심 원료, 플라스틱, 건축 폐기물, 생물 쓰레기 등을 제시하고 이 분야를 중심으로 순환경제 체제를 구축한다는 계획이다.[70]

---

accumulators, and 2012/19/EU on waste electrical and electronic equipment; Directive 2018/850 amending Directive 1999/31/EC on landfill of waste; Directive 2018/851 amending Directive 2008/98/EC on waste; Directive 2018/852 amending Directive 94/62/EC on packaging and packaging waste. 폐기물에 관한 지침(Directive 2008/98/EC)에서 폐기물은 도시 폐기물, 건축 폐기물, 생화학 폐기물 등을 의미함.

69) European Commission(2015), *Closing the loop – An EU action plan for the Circular Economy.*

70) 핵심 원료(critical raw materials)는 희토류, 인, 귀금속 등을 의미.

○ 제품의 내구성, 품질보장, 수리, 부품교체와 같은 정보를 제공하여 소비자로 하여금 제품을 더 오래 사용하도록 하고, 친환경 제품의 구매를 유도함.
○ 정부조달에서도 친환경 제품에 중점을 맞추어 친환경 제품의 시장 규모 확대를 도모함.
○ 폐기물 재활용률 제고가 순환경제의 중요한 부문임을 강조하고, 회원국 간 규제조화를 통해 재활용률을 늘리기 위한 제도적 장치를 마련함.

한국정부도 2018년 1월 발효된 '자원순환기본법'을 통해 자원순환사회 구축에 나섰으며, 5월에는 생산부터 재활용에 이르는 각 순환단계에서 폐플라스틱 발생량을 줄이는 것을 목표로 한다.

자원순환기본법 이전에는 폐기물의 적정한 처리가 주요 목표였다면, 자원순환기본법은 자원의 효율적인 사용을 통해 자원의 소비를 줄인다는 정책목표를 설정했다. EU가 순환경제 전환 평가지표를 마련하고 정책을 검토하는 것처럼, 한국정부도 평가지표를 활용하여 순환경제로의 전환 과정에 대한 정기적인 평가를 실시할 필요가 있다.

전 세계적으로 플라스틱 사용을 규제하는 추세가 이어질 경우, 해당 제품의 수출도 영향을 받을 수 있는 만큼 한국기업은 플라스틱을 대체하는 친환경 제품 개발을 위한 R&D 투자 확대 및 관련 기업 간 전략적 제휴가 요구된다. 또한 순환경제로의 전환은 새로운 비즈니스 모델의 창출은 물론, 관련 분야의 새로운 일자리 창출에도 기여할 것으로 전망되는바, 기업의 자체적인 노력과 정부 차원의 인센티브 제공이 함께 이루어져야 할 것이다.

이에 따라 플라스틱을 대체하는 친환경 물질 개발에 대한 산-관-학의 유기적인 지원 체제 구축과 함께 관련 기술 개발을 선도하고 있는 기업 간 전략적 제휴 등이 요구되며, 기업 차원에서는 제품의 품질관리 및 A/S 강화를 통해 사용주기를 확대할 수 있어야 한다.[71]

71) 『EU의 순환경제 전략과 플라스틱 사용 규제』 2018.9.12. KIEP 대외경제정책연구원

3. 국가별 산업 동향

1) 미국

"미국, 전기화학 공정으로 이산화탄소 배출량 감소 기술 개발"

미국 연구원들이 시멘트 생산 과정에서 이산화탄소(CO_2) 배출량을 크게 줄이는 방법을 개발했다고 전했다. 시멘트 생산은 다량의 CO2를 방출하는데, 전 세계적으로 시멘트로 인해 2.8 기가톤의 CO2가 발생하며 이는 인위적 온실가스 배출량의 약 8%를 차지한다고 알려졌다.

이에 따라 미국 연구원들은 석탄화 소성로 대신 생석회를 사용해 '전기화학 공정'을 거쳤다. 또한 석회로 전환한 후, 열과 모래를 첨가해 시멘트로 추가 가공하는 방법을 개발했다. 이때 방출된 가스는 연료로 직접 사용될 수 있다. 그동안 연구원들은 소성을 보다 친환경적으로 만드는 방법을 찾는 중이었다. 그 결과 열에 의한 것이 아니라 전기화학적 반응을 일으키는 과정을 개발했다. 기본은 전기 분해 셀이다. 이는 두 개의 전극이 물을 수소와 산소로 나누는 반응 용기다.

탄산칼슘이 수소가 생성되는 애노드 근처에 첨가되면, 산성 매질은 고체 수산화칼슘($Ca(OH)_2$)이 형성되는 과정 중 석회를 형성하는 반응을 촉발한다. 이 석회는 포틀랜드 시멘트의 주요 성분 중 하나인 모래로 태워서 규산칼슘 알라이트로 전환될 수 있다. 연구원들은 "전기화학적으로 생성된 수산화칼슘이 포틀랜드 시멘트에서 주요 규산칼슘상의 합성에 적합한 전구체라는 것을 보여준다"고 설명했다.

이 반응의 부산물로서 CO_2도 방출되지만 엘리스와 연구팀이 설명한 것과 같이 기존 배기가스보다 CO2의 비율이 67%의 더 높다. 그 결과 이산화탄소 포집을 보다 효과적으로 만든다. 또한 연구원들에 따르면 석회는 시멘트 클링커의 종래 소결보다 약 300도 낮은 열에서 알라이트로 변환될 수 있다. 배기가스는 질소 산화물 대신 산소를 함유하기 때문에 연료로 사용될 수도 있다. 재생 가능 에너지로부터 전기를 공급받아 사실상 방출이 없는 것이다.

그러나 전기화학 공정으로 만드는 시멘트의 가장 큰 문제는 대규모 전기화학 공정에 따른 비용과 이 공정의 경쟁력 여부다. 연구원들의 계산 결과 이 공정은 시멘트 1kg 당 5.2~7.1 메가줄(Mega Joule)이 필요, 현재 미국 시멘트 생산 시 이용되는 약 4.6메가 주울 보다 약간 더 많은 에너지가 필요하다. 하지만 이 공정은 석탄 비용이 들지 않고 전기화학적 변환을 위한

전기만 필요하므로 연구원들은 “다른 요인들을 무시한다면 전기 가격이 킬로와트시 당 2센트 미만이면 기존 시멘트 공장과 경쟁할 수 있다”고 말했다. 그러나 한편, 공동저자인 예트-민 창(Yet-Ming Chiang)“ “이것은 중요한 첫 단계이고 아직 완전히 개발된 방법은 아니다”라고 덧붙였다.[72)]

“미국 스타트업 바이오메이슨, 바이오 콘크리트 기술 개발”

[바이오메이슨(BioMason) 출처:https://www.rtp.org/company/biomason/]

콘크리트는 세계적으로 기후 온난화를 야기하는 온실 가스를 가장 많이 배출하는 주범으로 지목되어 왔다. 콘크리트 제조를 위한 시멘트 생산은 석탄 또는 천연가스와 같은 연료를 이용하여 1450 ℃ 로 분쇄된 석회석, 점토 및 모래를 가열하는 공정이 포함된다. 이 제조공정에서 많은 이산화탄소를 배출하는데, 일반적으로 사용되는 포틀랜드(Portland) 시멘트 1톤 당 650 내지 920 킬로그램의 이산화탄소를 배출하는 것으로 알려졌다.

또한 콘크리트 생산에서 나오는 탄소 배출량의 절반은 가루로 부순 석회암을 거대한 가마에서 가열시킬 때 발생하는 물질인 ‘클링커’(clinker)라는 표준 성분을 생산하는 과정에서 나온다. 가마를 가열시키기 위해 많은 양의 화석 연료를 태우는 것도 문제지만 가열 과정에서 석회암이 이산화탄소를 방출하는 것이다.

노스캐롤라이나의 스타트업 바이오메이슨(BioMason)은 천연 재료로 ‘바이오 벽돌’을 만든다. 이 회사는 미생물을 이용해 ‘시멘트 벽돌’을 양성하는 것으로 유명한데, 이 과정에서 탄소 배출이 전혀 없다는 것이 차별점이다. 바이오메이슨의 CEO 진저 도시에는 2000년대부터 벽돌을 양성하기 위한 기술을 연구하기 시작했다고 한다.

72) 친환경 시멘트 생산, 전기화학 공정 개선으로 CO2 감소/그린포스트코리아

"미국 연구원, 이산화탄소 줄이기 위한 바이오벽돌 연구 한창"

한편, 콜로라도주 볼더에 있는 콜로라도 대학교 연구원들도 이산화탄소를 흡수하는 박테리아를 배양해 석회암의 주성분인 탄산칼슘을 만들어 이를 고체화시키는 공정을 개발했다. 이 과정을 통해 만들어진 벽돌은 자체의 균열을 스스로 수리할 수 있는 능력도 가질 수 있다.

캘리포니아대학교 로스앤젤레스의 가우라브 산트 교수는 최근, 시멘트를 생산하는 공장을 포함한 여러 공장에서 배출되는 이산화탄소를 받아서 수산화칼슘, 광물, 물의 혼합물에 주입하는 CO2 콘크리트 LLC(CO2 Concrete LLC)라는 회사를 설립했다.

산트 교수는 이 방법의 큰 장점은 탄소를 혼합시키기 전에 탄소 배출물로부터 순수한 이산화탄소를 추출할(이 과정에서 비용이 많이 들어간다) 필요가 없는 것이라고 말한다. 한 가지 제약은 복잡한 공정이기 때문에, 일반 콘크리트처럼 현장에서 혼합하여 붓는 것과는 달리 콘크리트를 먼저 생산한 다음에 건축 현장으로 운반되어야 한다는 것이다.

또한 2000년대에 영국 엑시터대학교(Exeter University) 공대생이었던 미타르 디모프는 맨체스터 대학교에서 개발한 초강력, 초박형 물질 그래핀(grapheme)에 대해 알게 되었다. 그는 "왜 그런 강력한 물질을 콘크리트에 넣지 않을까"라고 생각했다고 한다.

당시 그래핀의 가격은 1kg당 1000달러 정도로 너무 비쌌다. 그러나 최근 몇 년 동안 그래핀 가격이 하락하면서 디모프 박사는 콘크렌이라는 회사를 설립하고 콘크리트에 이 물질을 통합하는 공법을 개발했다. 이 공법을 사용하면 탄소를 배출하는 가열 과정을 거치지 않을 수 있다. 이 회사는 잠재 고객과 협의 중이지만 아직 제품을 출시하지는 않았다.[73]

---

73) 바이오 벽돌로 콘크리트 탄소배출 줄인다/이코노믹리뷰

“ 코로나 이후 시멘트 수요 증가 예정”

코로나 19가 진행되며 콘크리트 및 시멘트는 다른 필수 자재와 마찬가지로 공급망 문제 및 노동력 부족으로 공급량이 줄어들었다. 그러나 미국 상원 의회가 미국의 도로, 다리, 터널 등을 개보수하기 위한 1조 달러 규모의 인프라 계획을 통과시킨 이후 콘크리트와 시멘트에 대한 수요는 증가될 예정이다.

아니르반 바수(Anirban Basu) 미국 건설업협회 수석 경제분석가는 CNBC와의 인터뷰에서 “단기적으로 특정 시장의 공급망에 문제가 생기면서 시멘트와 콘크리트의 가격이 상승 하고있다”고 말했다. 또한, “아직까지도 공급 회사가 수요를 충족시키기 위한 공급물품 확보를 하지 않고 있는 것으로 보인다”고 덧붙였다.

시멘트 및 콘크리트 자재와 관련된 산업은 현재 숙련된 노동자 부족 및 운송 수단 부족 문제에 직면해있다. 그러나 코로나 이후 전 세계적인 주택 호황은 콘크리트와 시멘트에 대한 더 많은 수요를 불러오고 있으며, 해당 업계는 공급 확보를 위해 자재 회사에 압력을 가하고 있다.[74)]

74) MOBIINSIDE[외신] ‘코로나 이후 전 세계가 필요로 하는 건 시멘트와 콘크리트?’

"포틀랜드 석회석 시멘트 생산량 증가"

Argos USA는 이번 주 앨라배마에 있는 통합 Roberta 공장이 2022년 6월까지 100% Portland Limestone Cement(PLC)를 생산할 예정이라고 발표했다. 전환의 일환으로 노스캐롤라이나에 있는 3개의 터미널도 동시에 전환될 것이다. 또한 2023년에는 모든 공장이 PLC로 전환될 것으로 예상하고 있으며, 플로리다 뉴베리, 사우스캐롤라이나 할리빌, 웨스트버지니아 마틴스버그 등 시멘트 현장에서 이미 PLC를 생산하고 있다.

현재 미국에서 PLC 사용이 확대되고 있는 단계는 PCA(Portland Cement Association) 이후 2021년 3월에 새로운 환경 제품 선언을 발표했으며 PLC는 1년 후인 2021년 10월에 발표된 PCA의 탄소 중립 로드맵에서 언급을 받았다. 2005년에 미국에서 PLC의 첫 상업 생산이 시작되었으며 PLC는 2012년에 자체 혼합 시멘트 사양을 얻었다. 특히 PCA는 교통부의 PLC 승인을 추적해 왔으며 2010년대에 눈에 띄게 성장했다.

미국은 PLC를 따라잡고 있다. 유럽 시멘트 협회(European Cement Association)에 따르면 1960년 유럽의 PLC 사용은 Cembureau가 2004년에 약 30%을 사용하였다. 보다 최근인 2020년 독일 시멘트 협회(German Cement Association)에 따르면 VDZ는 국내에서 유사한 수치를 보고했으며 석회석, 셰일 및 복합 첨가제를 포함한 혼합 시멘트 출하량의 비율은 31.6%이다. 미국에서는 공개적으로 사용할 수 있는 데이터가 제한되어 있기 때문에 생산자가 PLC로 이동하는 현재의 규모를 측정하기가 어렵다. PCA 조사에 따르면 2016년 PLC 생산량은 0.89Mt이며, 위에 언급된 모든 공장이 PLC로 완전히 전환되고 정격 생산 능력을 유지하면 2023년에 PLC의 14Mt/yr 또는 미국 전체 시멘트 생산 능력의 11%가 될 것이라 예상한다. 비교를 위해 미국 지질 조사국(USGS)은 2020년에 모든 혼합 시멘트의 총 출하량을 330만 톤, 2021년 첫 11개월 동안 총 540만 톤으로 보고했다.

최근 개발은 미국 시멘트 시장에 큰 변화가 오고 있음을 보여주어 최근 PLC 생산량이 대규모로 급증했다. 정확한 데이터는 사용할 수 없지만 미국 시장이 유럽 수준으로 향하면 PLC를 만드는 현재 생산 공장 수의 약 3배가 될 것으로 예상할 수 있다. 이 대략적인 추정치는 기존의 부분적인 PLC 생산 수준을 고려하지 않으며, 동시에 미국 시멘트 부문은 일반 포틀랜드 시멘트에 비해 PLC의 CO 2 배출량 10% 감소로 배출량이 감소해야 함을 알려준다.[75)]

75) Global cement 'Growing Portland Limestone Cement production in the US'

2) 독일

"독일, 환경 친화적 공정으로 소비자들 인식 바뀔 것"

독일을 비롯한 유럽 시멘트 회사들은 1990년을 전후로 하여 산업 폐기물 연료(대체 연료)를 사용하기 시작했다. 폐유(廢油), 솔벤트, 가축 사체(死體), 산업용 플라스틱, 폐타이어, 목재 등을 석탄과 섞어 태우는 것이다. 시멘트는 석회석과 규석, 철광석 등을 섭씨 1450도 이상의 고온으로 태워 만든다. 이를 만드는 연료로는 석탄이 주로 쓰였지만 고가(高價)의 화석 연료는 생산 원가가 높아지는 단점이 있기 때문에 이러한 폐기물들을 섞어 태운다.

그러나 독일을 포함한 유럽에서는 폐기물 연료 사용이 '환경 훼손 산업'이라는 인식이 바뀌었다고 말한다. 유럽시멘트협회(CEMENBUREAU)가 중심이 된 시멘트 업계는 폐기물을 연료로 사용하면서 '환경 친화적' 공정을 강조한다. 유기성 폐기물은 섭씨 850도 이상으로 연소시키면 유해물질이 발생하지 않는다는 점을 들어 "섭씨 1450도인 시멘트 소각로는 산업 폐기물 처리에 최적"이라고 홍보했다.

그러나 일각에선 폐기물 사용이 시멘트에 포함된 중금속(6가 크롬)의 양을 높이는 것이 아니냐는 의문도 제기됐다. 이에 대해 유럽 시멘트업계는 "산업 폐기물이 시멘트 품질에 미치는 영향은 없다"고 해명하고 특히 반죽 상태가 아닌 건축물 등 굳은 시멘트에서는 6가 크롬이 배출되지 않는다는 점을 강조했다. 또한 "이제 유럽에선 시멘트에서 배출되는 6가 크롬을 우려하는 소비자가 거의 없을 것"이라고 말했다.[76]

"Buzzi Unicem, 독일에서 CGreen 저감 CO2 시멘트 출시"

Buzzi Unicem은 독일 및 이탈리아 시멘트 시장에 CGreen 환원 CO 2 시멘트를 출시했다. 이 제품은 클링커를 부분적으로 대체하기 위해 대체 원료를 사용하고 새로운 전문 첨가제를 사용하여 분쇄 및 혼합 조건을 최적화한다. 독일에서 사용 가능한 CGreen 시멘트 범위는 Dyckerhoff Eco Comfort 시멘트와 Dyckerhoff Cedur 시멘트로 구성된다.

Italy cemeny의 최고 운영 책임자 Antonio Buzzi는 "생태학적 전환은 탄소 발자국을 중화하기 위해 우리의 행동과 잠재적인 산업 혁명 대해 조정하도록 요구하며, 이 전환은 생산 프로세스, 유통 시스템 및 소비 패턴의 부분적 또는 전체적 재설계를 의미하는 시작을 예고한다." 고 말했다.[77]

76) 독일 시멘트 공장, 폐기물 태워 공장살리고 환경살리고/dongA.com

"아민 세정 연구 프로젝트 시작"

독일의 ThyssenKrupp Uhde, Holcim 및 Technische Universität Berlin은 탄소 포집을 위한 새로운 아민 세정 기술의 사용을 조사하기 위한 공동 프로젝트를 시작했다. 목표는 기존 시멘트 공장에서 배출되는 CO 2 를 크게 줄이는 동시에 포집된 CO 2 를 다른 용도로 활용하는 것이다. 여기에는 더 효율적이고 오염에 강한 새로운 물질 전달 공정 장비의 개발이 포함되며, 이 프로젝트는 독일 연방 경제 및 기후 행동부의 자금 지원을 받고 있다.

물질 전달 공정 장비는 Holcim의 Beckum 공장에서 배기가스를 사용하여 테스트되고 있다. 메탄올 또는 지속 가능한 연료 제조와 같이 포집된 CO 2 를 사용하기 위한 다양한 가능성도 검토되고 있으며, 목표는 기존 시멘트 공장에 개장할 수 있는 기술을 개발하는 것이다.

ThyssenKrupp Uhde 의 기술, 혁신 및 지속 가능성 책임자인 Ralph Kleinschmidt와 Holcim Germany의 탈탄소 책임자인 Arne Stecher는 회사가 최고의 탄소 포집 기술을 찾기 위해 다양한 공정을 테스트하고 있다고 전했다.[78]

77) Global cement 'Buzzi Unicem launches CGreen reduced-CO2 cement in Germany and Italy'
78) Global cement 'ThyssenKrupp, Holcim and TU Berlin start amine scrubbing research project'

3) 네덜란드

"네덜란드 연구진, 미생물 콘크리트 개발"

네덜란드 연구진들이 미생물을 활용한 '자가치유 콘크리트' 개발을 했다는 소식을 전했다. 아스팔트 포장 도로의 표층이 떨어져 나가면서 구멍처럼 푹 패인 곳을 뜻하는 일명 '포트홀'은 싱크홀보다 규모가 작지만 사고위험이 있어 보수가 필요하다. 일반적으로 철근 콘크리트는 시간이 지나면서 서서히 작은 틈이 생긴다. 여기에 빗물 등이 들어가면 철근에 녹이 슬고 콘크리트가 깨지기 쉬워지면서 포트홀 등이 발생할 수 있다. 포트홀이 건물에서 발생한다면 붕괴의 위험까지 높아진다. 최근 해외 연구진이 이러한 포트홀을 '치유'할 수 있는 방법을 찾아냈다고 밝혀 학계의 관심이 쏠리고 있다.

네덜란드 델프트기술대학 연구진이 발견한 것은 '스스로 치유하는 콘크리트'다. 이는 박테리아를 이용하여 구멍처럼 푹 패인 포트홀을 매꾸는 방법을 개발한 친환경 기술이다.

네덜란드 연구진들은 이집트 카이로에서 북서쪽 100㎞ 거리에 있는 와디 나트룬 지역의 활화산과 소다호(알칼리 성분이 높은 호수) 인근에서 발견한 특정 박테리아와 콘크리트를 혼합하는 실험을 실시했다. 또한 연구진이 이 박테리아와 콘크리트, 젖산칼슘, 발효균 중 하나인 바실루스균 등을 넣은 캡슐을 혼합한 뒤 물을 섞자 이 박테리아는 젖산칼슘을 에너지원으로 삼아 콘크리트의 성질에 맞춘 포자를 생성해 냈으며, 칼슘과 탄산염 이온을 혼합해 석회석을 만들어냈다.

이 박테리아가 만든 석회석으로 폭 0.8㎜의 구멍이 메워지는데 걸리는 시간은 약 3주 정도로 나타났다. 연구진은 이 박테리아를 혼합한 액체를 건물이나 도로의 구멍에 뿌려주는 것 만으로도 효과가 있을 것으로 보고 있다.

연구를 이끈 헹크 욘커스 박사는 “이 박테리아는 알칼리성 환경에서 생존이 가능하고 열기와 냉기에 대한 내구성도 높다. 또 생명력이 뛰어나 오랜 기간 동안 콘크리트 안에서 생존할 수 있다”면서 “곧 포트홀 등에 쓸 수 있는 ‘바이오콘크리트’ 스프레이를 상용화 할 수 있을 것으로 보인다”고 전했다.[79]

79) 깨진 곳 스스로 고치는 ‘바이오 콘크리트’ 개발… “내년 상용화”/나우뉴스

4) 일본

일본의 2017년 시멘트 총 생산량은 55,120천 톤(수출제외)으로 2016년 대비 3.8% 증가하였다. 또한 2017년 포틀랜드시멘트 생산량은 최근 도쿄올림픽 준비 등으로 인해 2016년 대비 4.6% 증가하였으며 전체 생산비중의 76.8% 차지했다. 2017년 혼합시멘트 생산량도 전년대비 1.4% 증가하였으며 주로 정부 SOC 및 지진복구 사업에 사용되었다.

(단위:천톤,%)

구분		2015			2016			2017		
		천톤	비중	전년비	천톤	비중	전년비	천톤	비중	전년비
포틀랜드	보통	38,137	69.8	96.1	36,709	69.1	96.3	38,190	69.3	104.0
	조강	3,027	5.5	92.3	2,992	5.6	98.8	3,213	5.8	107.4
	중용열	665	1.2	95.7	637	1.2	95.8	762	1.4	119.7
	저열	178	0.3	94.1	152	0.3	85.1	183	0.3	120.4
	내유산염	8	0.0	157.7	1	0.0	51.8	1	0.0	25.8
	기타	1	0.0	136.8	2	0.0	188.4	2	0.0	93.6
	합 계	**42,016**	**76.8**	**95.8**	**40,497**	**76.3**	**96.4**	**42,351**	**76.8**	104.6
혼합	슬래그	11,427	20.9	90.0	11,128	21.0	97.4	11,103	20.1	99.8
	실리카	0	0.0	–	0	0.0	–	0	0.0	–
	Flyash	95	0.2	140.3	110	0.2	116.0	99	0.2	89.7
	기타	972	1.8	106.7	1,193	2.2	122.8	1,407	2.6	117.9
	합 계	**12,494**	**22.9**	**91.4**	**12,432**	**23.4**	**99.5**	**12,610**	**22.9**	101.4
기 타		163	0.3	92.5	163	0.3	100.0	160	0.3	98.3
소 계		**54,672**	**100.0**	**94.8**	**53,091**	**100.0**	**97.1**	**55,120**	**100.0**	103.8
수 출		4,793		113.7	5,886	–	122.8	5,668	–	96.3
총 계		**59,465**		**96.0**	**58,978**	**–**	**99.2**	**60,788**	**–**	103.1

※비중이 0.01미만은 0.0으로 표기

[일본 2015~2017년 품종별 시멘트 생산량 추이 (출처: 한국시멘트협회)]

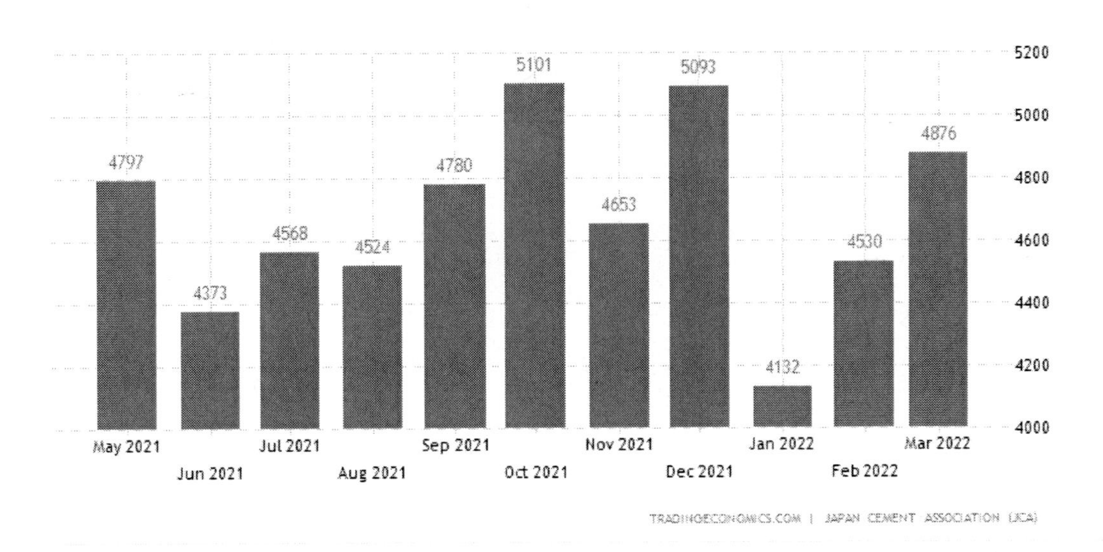

그림 42 최근 일본의 시멘트 생산량 (2021.5 - 2022.2) (출처:TRADING ECONOMICS)

한편, 일본의 2017년 시멘트 판매량은 53,896천 톤으로 2016년 대비 2.0% 증가한 것으로 알려졌다. 2017년 시멘트 판매량 중 레미콘 판매비중이 70.6%로 가장 높았으며, 시멘트 2차 제품(보도블럭, 콘크리트파일, 콘크리트포트 등)의 판매가 14%를 차지했다.

일본은 지난 10년 간(08년~17년) 시멘트 가격인상이 7번 실현되었으며 2015년부터 2017년까지는 가격이 동결되었다. 2008년부터 2017년까지의 일본 시멘트 가격인상에 대한 흐름은 다음과 같이 정리할 수 있다.

- **2008년** : 유연탄 가격의 급등으로 `07년 대비 평균 700엔 이상의 높은 가격인상을 이루었으나 `09년 이후부터 레미콘업계의 저항으로 높은 수준의 가격인상은 이루어지지 않음.
- **2011년** : 평균 1,000엔 이상의 가격인상협상를 추진하였으나 동북부 대지진으로 인하여 레미콘업계와의 협상이 연기됨.
- **2012년** : `11년에 동북부 대지진으로 추진되지 못한 가격인상협상이 일부 반영되며, `91년 이후 24년만에 전국 평균가격이 1만엔 이상 형성됨.
- **2014년** : 시멘트업체들이 끈질기게 협상을 진행하여 100엔 이상의 가격인상 실현.
- **2015년** : 시멘트업체들의 지속적인 가격인상노력에도 불구하고 국내수요감소로 인해 100엔 수준의 가격인상에 그쳤으며 2017년까지 유지됨.
- **2017년** : 시멘트업체들은 최근 유연탄 가격 상승으로 인해 각사별로 가격인상에 대해 진지하게 검토하고 있으며 `18년도에는 가격인상협의를 추진할 예정.

(단위:톤,%)

구 분	2013	2014	2015	2016	2017
철도	18,809	622	4,587	11,776	31,217
	(0.0)	(0.0)	(0.0)	(0.0)	(0.1)
전력	42,204	83,566	58,939	44,816	35,368
	(0.1)	(0.2)	(0.1)	(0.1)	(0.1)
항만	83,432	84,734	66,873	108,783	69,643
	(0.2)	(0.2)	(0.2)	(0.3)	(0.2)
도로·교량	183,931	179,594	188,877	201,225	180,160
	(0.4)	(0.4)	(0.4)	(0.5)	(0.4)
토목	4,055,849	4,004,049	4,158,632	4,132,703	4,052,704
	(8.8)	(8.7)	(9.7)	(10.0)	(9.7)
정부건축	130,347	130,593	106,820	133,635	137,473
	(0.3)	(0.3)	(0.2)	(0.3)	(0.3)
민간건축	616,062	484,573	511,302	590,275	581,538
	(1.3)	(1.1)	(1.2)	(1.4)	(1.4)
레미콘용	33,404,623	33,118,151	30,637,888	29,103,192	29,630,118
	(72.3)	(72.2)	(71.2)	(70.4)	(70.6)
시멘트 2차제품	5,952,155	6,078,668	5,720,846	5,578,236	5,865,862
	(12.9)	(13.3)	(13.3)	(13.5)	(14.0)
자가사용	10,530	16,667	9,415	14,443	18,178
	(0.0)	(0.0)	(0.0)	(0.0)	(0.0)
기타	1,678,649	1,672,731	1,569,431	1,404,533	1,382,836
	(3.6)	(3.6)	(3.6)	(3.4)	(3.3)
국내계	**46,176,591**	**45,853,948**	**43,033,610**	**41,323,617**	**41,985,097**
	(100.0)	**(100.0)**	**(100.0)**	**(100.0)**	**(100.0)**
수출 제외	(84.0)	(83.4)	(80.9)	(78.2)	(78.0)
수출	8,763,489	9,108,481	10,141,909	11,536,479	11,910,663
	(16.0)	(16.6)	(19.1)	(21.8)	(22.1)
계	**54,940,080**	**54,962,429**	**53,175,519**	**52,860,096**	**53,895,760**
	(100.0)	**(100.0)**	**(100.0)**	**(100.0)**	**(100.0)**

※비중이 0.05미만은 0.0으로 표기/수출은 클링커생산 포함

[일본의 2013~2017년 수요별 시멘트 출하동향(출처:한국시멘트협회)]

한편, 일본 기업 동향을 살펴보면 2017년도에 17개사의 총 자산은 5조 8천억엔으로 2016년 대비 3.6% 증가했다. 일본경제의 안정적인 회복세 영향으로 전업 및 겸업 17사의 자본은 증가하고 부채는 감소하는 등 전반적인 재무개선이 이루어졌다.

또한 2017년 17개사의 총 매출액은 2016년 대비 4.2% 감소한 것으로 알려졌다. 이는 상대적으로 매출규모가 큰 겸업 5사의 감소(4.7%↓)의 영향이 크며 실질적으로 시멘트전업 12개사의 매출액은 소폭(2.5%↓) 감소에 그쳤다. 2017년 시멘트수요 증가(1.5%↑)에도 불구하고 시멘트사업의 수입원자재(유연탄, 석유 등)의 증가세로 인한 제품마진율은 하락하였다.[80]

(단위: 백만엔)

회사명	납입자본금	사용총자본		
부채	-	부채	자본	계
전업12사	140,550	855,362	675,207	1,530,601
겸업5사	129,551	2,435,922	1,832,394	4,268,318
2017년 합계	270,101	3,291,284	2,507,601	5,798,919
2016년 합계	405,843	3,369,118	2,191,355	5,560,566

※2017년 3월,12월 연결결산

[일본 2017년 전업/겸업사 자산현황(출처: 한국시멘트협회)]

(단위: 백만엔)

회사명	납입자본금	사용총자본		
부채		부채	자본	계
전업12사	140,550	855,362	675,207	1,530,601
겸업5사	129,551	2,435,922	1,832,394	4,268,318
2017년 합계	270,101	3,291,284	2,507,601	5,798,919
2016년 합계	405,843	3,369,118	2,191,355	5,560,566

※2017년 3월,12월 연결결산

[일본의 2017년 전업/겸업사 매출현황(출처:한국시멘트협회)]

한국시멘트협회 강00·신00·김00(2021)에 따르면 일본 시멘트 관련 품질관련 동향은 다음과 같다.

혼합시멘트 규격에 의하면, 시멘트의 혼합재 함유량은 최대 70%, 실리카 시멘트와 플라이애시 시멘트의 혼합재 함유량은 최대 30%로 규정하고 있다. 한편, 석회석 혼합 시멘트의 경우, 2001년 일본 시멘트 협회 석회석 미분말 전문위원회에서 석회석필러 시멘트의 표준정보(TR)안을 작성하여 표준을 제정하려 하였으나, 심의과정에서 기각되어 현재 석회석 미분말 혼합시멘트에 대한 규정은 제정되어 있지 않다. 현재 일본은 2014년 기준 혼합 시멘트 생산량이 전체의 20% 정도로 혼합 시멘트 사용에 대해 아직까지는 소극적인 모습을 보이고 있으나, 최근의 연구동향을 살펴보면 환경문제를 해결하고자 하는 노력에 큰 힘을 쓰고 있어 머지않아 기술 확보 및 관련 규정의 개정이 예상된다.(p35)[81]

또한 일본 역시 건설 산업에서 탄소배출량 및 에너지 소비량이 많아 탄소중립을 실현하기 위

80) 『2017년 일본 시멘트산업동향』 2018.11 한국시멘트협회
81) 강인규·신상철·김진만 「국내외 시멘트 관련 품질 표준 동향」,한국시멘트협회,2021,p35

해 많은 노력을 하고 있다. 한국 콘크리트학회 배성철, 문주혁, 남정수(2022)의 세계 각국의 시멘트-콘크리트 탄소중립 추진현황 내용은 다음과 같다.

최근 일본은 시멘트의 제조 시 탄소 분리 및 회수, 그리고 회수한 탄소를 재이용하고 콘크리트에 탄소를 흡수·고정화하는 것에 의한 탄소중립화 등, 새로운 기술개발이 활발하게 이루어지고 있다. 또한 시멘트-콘크리트 재료뿐만 아니라 건설공사 과정의 에너지 소비량을 억제하고 ICT 등의 활용에 의한 에너지 소비량 최적화 등의 수단도 함께 고려되고 있다. 따라서 일본의 건설사를 중심으로 에너지 사용 효율을 향상시킨 건설 생산 활동을 실현하기 위해 AI, IoT 적용기술, ICT 시공 시스템화를 통한 공정관리 등 효율적인 공사계획, 환경조건에 대한 부분을 포함한 탄소배출 최소화를 위한 기술개발에 많은 투자를 하고 있다.

일본 국립 연구개발 법인 신에너지 ·산업기술총합개발기구에서 지원한 C4S(Calcium Carbonate Circulation System for Construction) 즉, 건설 분야의 탄산칼슘 순환시스템에 관한 연구개발 프로젝트팀은 완전 리사이클링이 가능한 탄소중립 콘크리트에 관한 기초 제조기술 개발에 대한 성과보고회를 지난 2021년 4월에 개최하였다. 이 프로젝트에는 동경대학, 북해도대학, 태평양시멘트, 동경이과대학, 시미즈건설 등 일본을 대표하는 대학 및 건설 분야 기업이 참여하였다. 대기 중의 이산화탄소와 물, 그리고 칼슘을 함유하고 있는 사용이 종료된 폐 콘크리트만을 활용하여 부서진 콘크리트의 입자 간에 탄산칼슘을 석출시켜 콘크리트를 경화시킨다는 새로운 시도가 이루어졌다. 폐 콘크리트를 미세 분쇄하여 공기 중의 이산화탄소를 용해시킨 물과 반응시켜 탄산칼슘을 만들고 이것을 크게 분쇄된 콘크리트 덩어리 사이에 용출시켜 경화체를 제작할 수 있다고 성과보고회에서 설명하고 있다. 이 기술이 실용화되면 대기 중에 얇게 퍼져 존재하는 이산화탄소와 각지에 존재하고 있는 콘크리트구조물에 함유된 칼슘의 효과적인 활용이 가능하게 되며, 건설 분야의 이산화탄소 배출 절감에 크게 기여할 것으로 기대하고 있다. 여러번 재활용이 가능한 자원 순환형의 기술로 이산화탄소를 고정화하면서 콘크리트의 리사이클이 가능해지므로 탄소중립 콘크리트를 실현하게 된다.

이와 같이 일본의 시멘트-콘크리트 분야에서는 정부의 적극적인 지원과 산학연 프로젝트 그룹의 연구 활동으로 새로운 발상의 탄소중립 콘크리트 개발과 실용화에 큰 관심이 집중되고 있다. 또한, 활발한 경제성장이 기대되는 아시아 지역의 시멘트-콘크리트 수요 확대를 겨냥하여 시멘트 및 결합재의 생산단계, 콘크리트의 생산단계, 운반 및 시공단계, 콘크리트 구조물의 운용단계, 해체 및 리사이클링 단계에서 적용할 수 있는 탄소중립 기술을 체계화하여 국제적으로 통용될 수 있는 각종 기술의 표준화에 대한 투자도 이루어지고 있다.

이처럼 일본의 시멘트- 콘크리트 분야는 전 생애주기적인 관점에서 탄소중립에 접근하고 있으며, 탄소중립 콘크리트와 같이 일부 실현 가능성을 검증한 의미 있는 연구 성과도 보고되고 있다. 탄소중립이라는 커다란 미래시장에서 2050년까지 계속적인 성장을 기대하는 시멘트-콘크리트 분야에 일본 정부의 투자는 지속적으로 이루어질 것으로 예상되고 있다.(p55,56)[82)]

---

82) 배성철, 문주혁, 남정수 「세계 각국의 시멘트-콘크리트 탄소중립 추진현황」, 한국콘크리트학회, 2022, p55,56

5) 중국

다음에서는 2017년부터 최근까지, 중국의 시멘트 산업 동향이 어떠했는지 살펴보고자 한다. 먼저 2017년 중국의 시멘트 생산 및 소비는 23억 톤(잠정)수준이며 2015년부터 감소세를 기록했다. 2015년 시멘트 생산은 처음으로 마이너스 성장을 기록하였으며 2017년에도 또 다시 마이너스 성장을 기록하며 중국의 시멘트 산업은 성장기에서 **성숙기로 진입**한 것으로 보인다.

표9. 시멘트 생산 (단위: 백만톤,%)

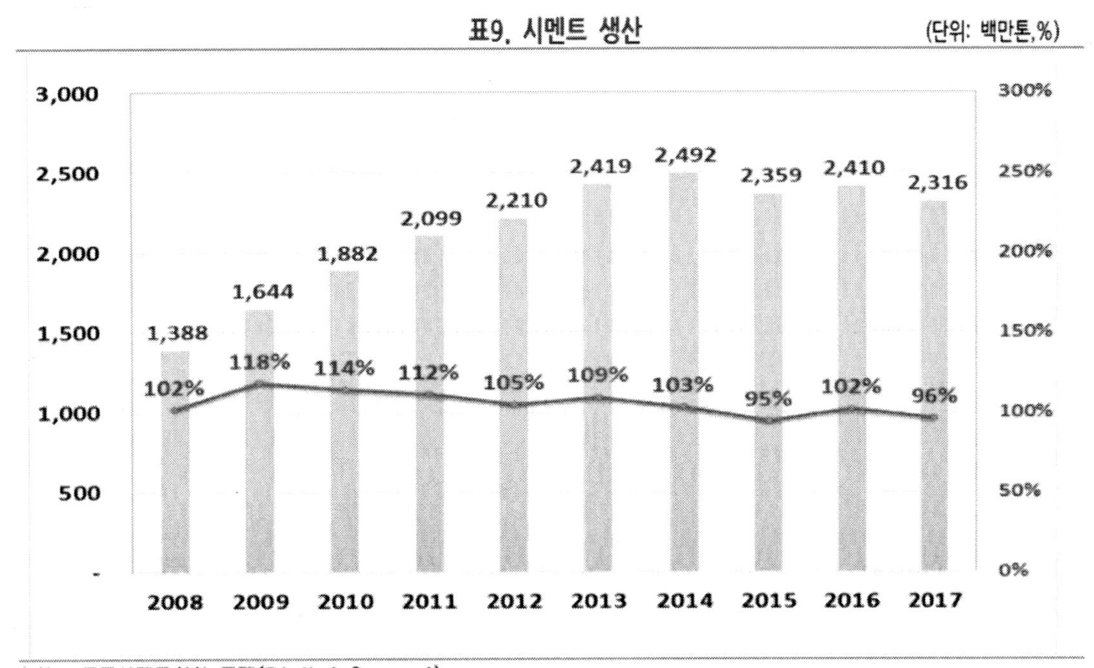

출처 : 중국시멘트협회 통계(Digital Cement)

중국의 시멘트산업은 지속적인 **정부정책규제**를 받고 있어 향후 생산량은 감소할 것으로 예상되고 있다. 그동안 중국 지방정부는 기간산업 유치를 위해 투자기업에게 인센티브 및 각종 형식의 보조금을 지급하였고, 기업들은 이를 겨냥해 시멘트 산업에 맹목적으로 뛰어든 것이 공급과잉을 야기하였다.

2017년 기준 중국의 시멘트 생산능력은 총 33억 톤으로 수요대비 10억 톤의 과잉설비를 보유했다. 중국정부는 2009년부터 과잉생산설비를 보유한 산업의 **생산억제정책**(기업인수·합병, 낙후시설 도태, 신축설비 금지 등)을 지방정부에 지도 및 강화해 나가고 있는 것으로 알려졌다. 또한 중국은 2016년 국무원(내각) 상무회의에서 "2020년까지 시멘트생산량 및 킬른설비증설에 대한 통제"를 발표한 바 있으며, 시멘트 생산량은 향후에도 보합 및 감소 추세를 보일 것으로 전망된다.

한편, 중국의 **시멘트 및 클링커 수출입도 정부정책으로 보합세**를 보이고 있다. 생산된 시멘트의 98% 이상은 대부분이 자국소비에 사용되고 있고 정부에서도 석탄사용량이 높은 고에너지 소비산업인 시멘트산업에 대한 **수출제한정책**을 펼쳐 수출물량은 전체 생산량의 0.2%(2천만톤) 미만을 유지했다. 반면 시멘트 수입은 21만 톤으로 전년대비 전년 동월 대비 소폭 증가하였으며 중국내 시멘트 가격 상승으로 인해 수입 물량은 당분간 증가할 전망이다.

표10. 시멘트 클링커 수출입 (단위: 천톤)

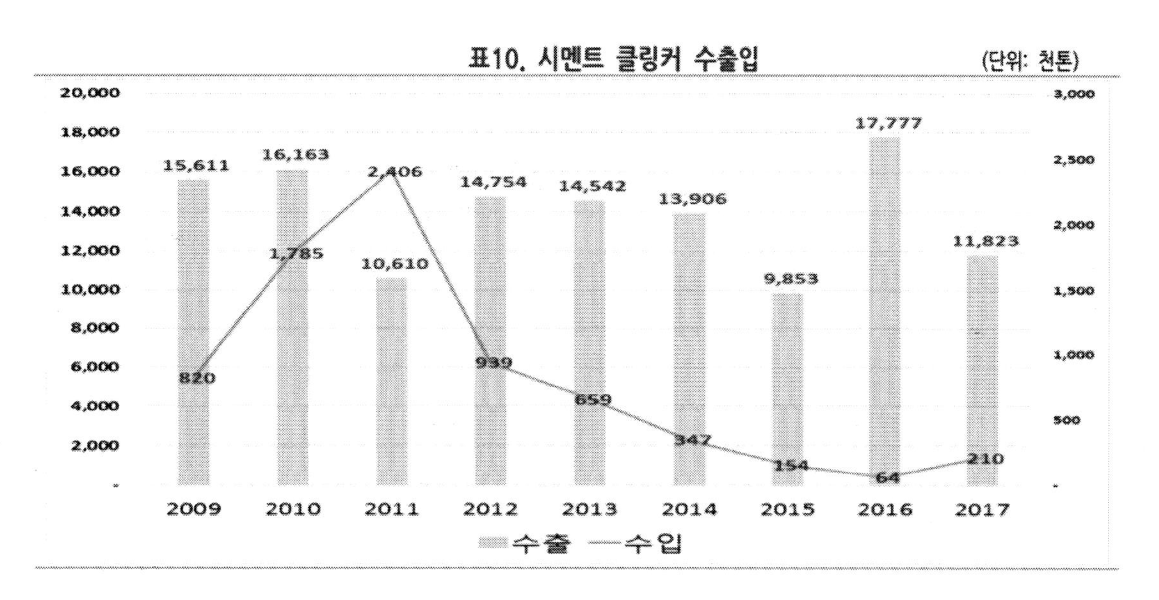

중국의 주요 수출입국은 다음과 같다.

구분	주요 수출국	주요 수입국
아시아	홍콩, 필리핀	말레이시아, 파키스탄
아프리카	남아공, 가봉, 가나	-
아메리카	미국, 콜롬비아	미국
유럽	러시아, 벨기에	독일

한편, **수출가격**은 2017년 기준, 전년대비 증가 추세를 보였다. 전년 동월대비 시멘트, 클링커 수출가격은 증가하였으며 세계경기회복에 따른 수요증가 및 시멘트생산원가 상승으로 수출단가는 전년대비 증가 추세를 보였다.

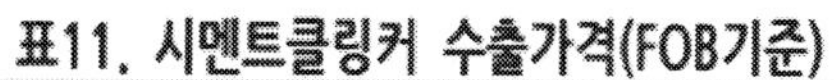

표11. 시멘트클링커 수출가격(FOB기준) (단위: 달러)

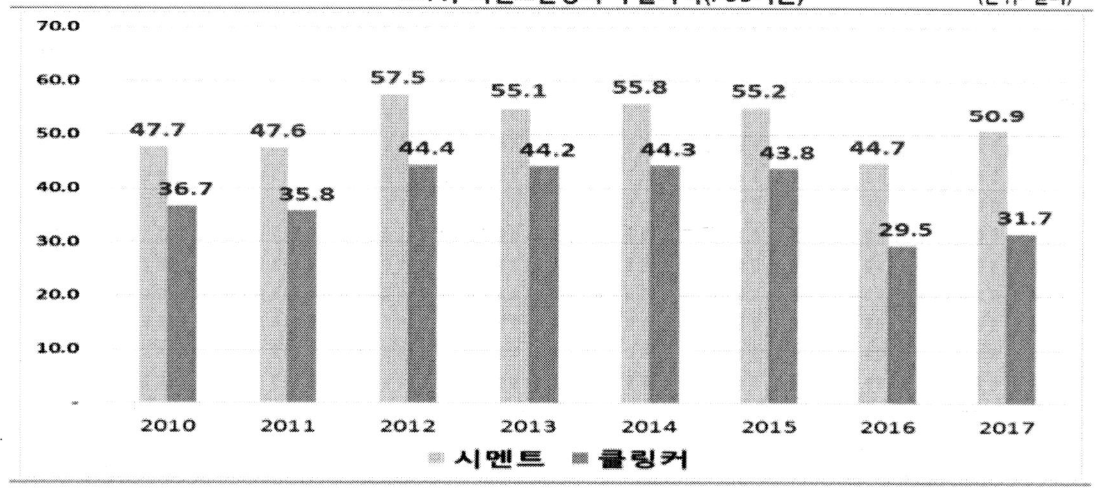

출처 : 중국시멘트협회 통계(Digital Cement)

또한 **중국 시멘트 가격은 지속적인 상승**을 기록해왔다. 2016년부터 석탄 및 국제유가 상승, 광산 채굴 규제 강화 등 **생산원가가 증가**하였기 때문에 기업들은 이윤창출을 위해 시멘트가격을 지속적으로 인상시키고 있었다. 정부의 환경보호, 에너지 절약 등의 정책으로 2017년 말 기준, 업계의 보유재고가 3년 만에 최저치를 기록하였으며 이는 시멘트 가격인상에 긍정적인 영향을 끼치기도 했다.

표12. 시멘트 가격동향 (단위: 위안화)

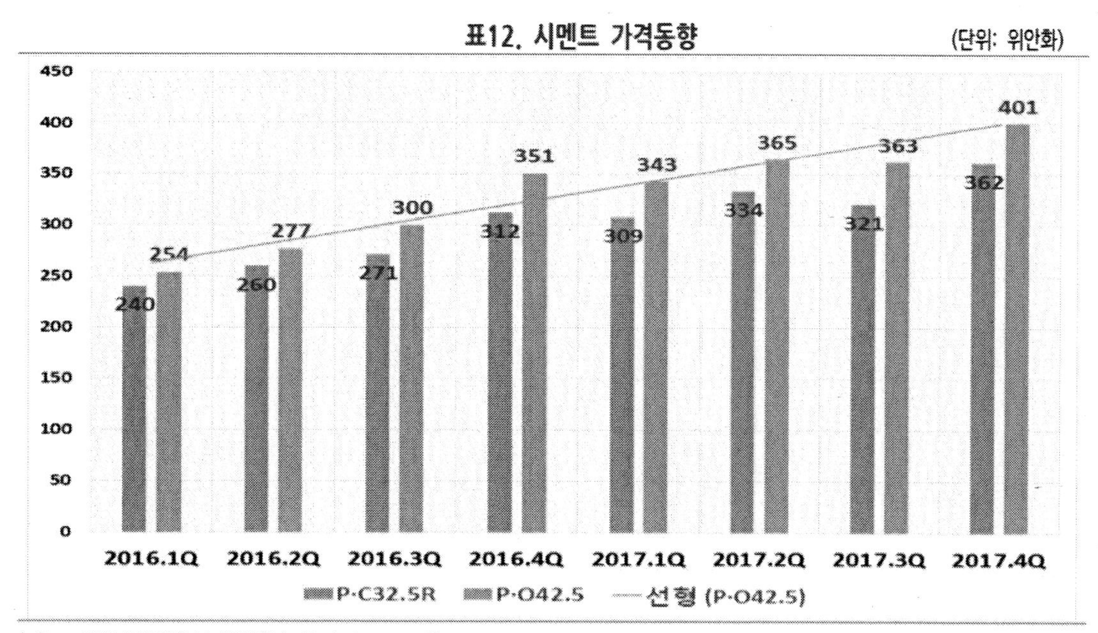

출처 : 중국시멘트협회 통계(Digital Cement)

한편, **중국 시멘트 제조기업의 경영지표**는 가격인상 및 업체 수 감소의 영향으로 개선되는 추세로 보인다. 2016년도 1분기에는 적자를 기록하였으나 기업들의 시멘트 수급조절과 가격 인상으로 인해 2017년도 3분기 누적기준 당기 순이익은 8%로 흑자전환 되었다. 기업들의 지속적인 에너지 절감기술적용, 대기업 위주의 인수합병으로 인한 업체 수 감소도 이익률 개선에 긍정적인 영향을 끼쳤다.

표13. 시멘트산업 경영지수 (단위:%)

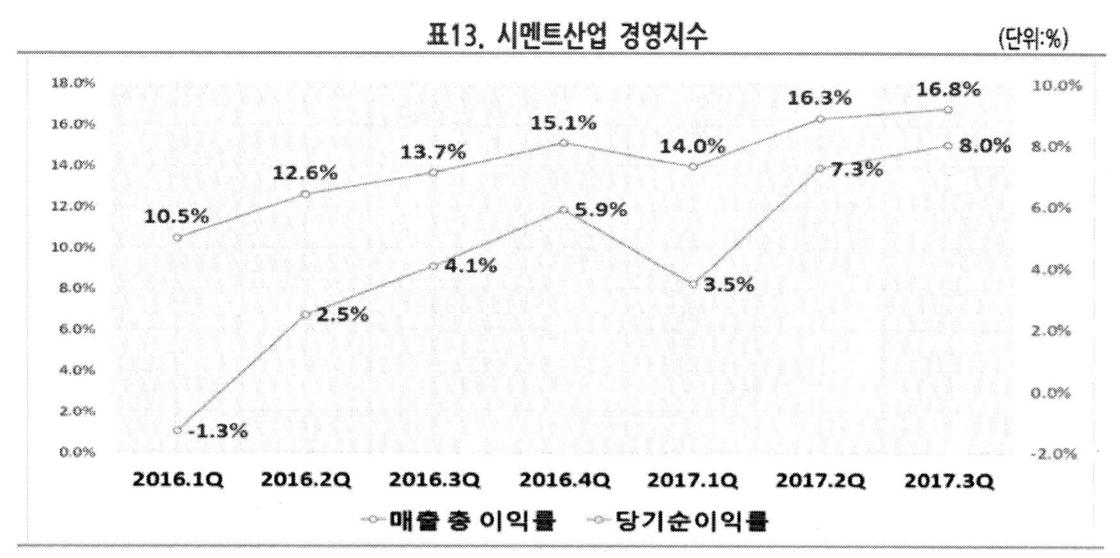

출처 : 중국시멘트협회 통계(Digital Cement)

"혼합시멘트 폐지, 업계의 찬반논란"

2017년도 중국의 시멘트 업계는 **'혼합시멘트(P·C32.5R)의 폐지'**에 대한 찬반논란이 큰 이슈가 되었다. 중국 상무부(산업자원부)는 시멘트 산업의 안정적 성장 촉진, 콘크리트 건축물의 안정성 강화 등을 위해서는 32.5R 등급의 폐지가 필수적이라 판단했으며, 시멘트 등급을 4단계(42.5, 42.5R, 52.5, 52.5R)로 개정하는 국가 표준 개정(안)을 2017. 9월에 발표했다.

또한 32.5R 등급(28일후 강도 32.5파스칼)의 시멘트는 전체 시멘트 생산량의 63%를 차지하고 있으며 그 중 32.5R 혼합 포틀랜드 시멘트는 전체 시멘트 생산량의 50%이상을 차지한다. 신장위구르 자치구는 32개 성중 최초로 32.5R등급 시멘트 등급을 전면 폐지(`17년 5월)했으며, 이 소식이 업계 내에서 확산되면서 업계 찬반논란이 급속히 확대되었다.

32.5R 등급이 폐지되고 42.5등급 이상의 시멘트만 생산될 경우 시멘트수급이 안정되고 산업의 수익성이 현저히 증가되나 32.5R 등급 시멘트의 시장비중과 대체재 업체들의 반대로 인해 전국에서 정책이 정착되기 까지는 많은 시간이 필요했다.[83]

한편, 중국 국가 통계에 따르면 **2019년도 중국의 시멘트 생산량**은 2018년 대비 6.1% 증가하여 233,036 만 톤의 생산량을 나타냈다.84)

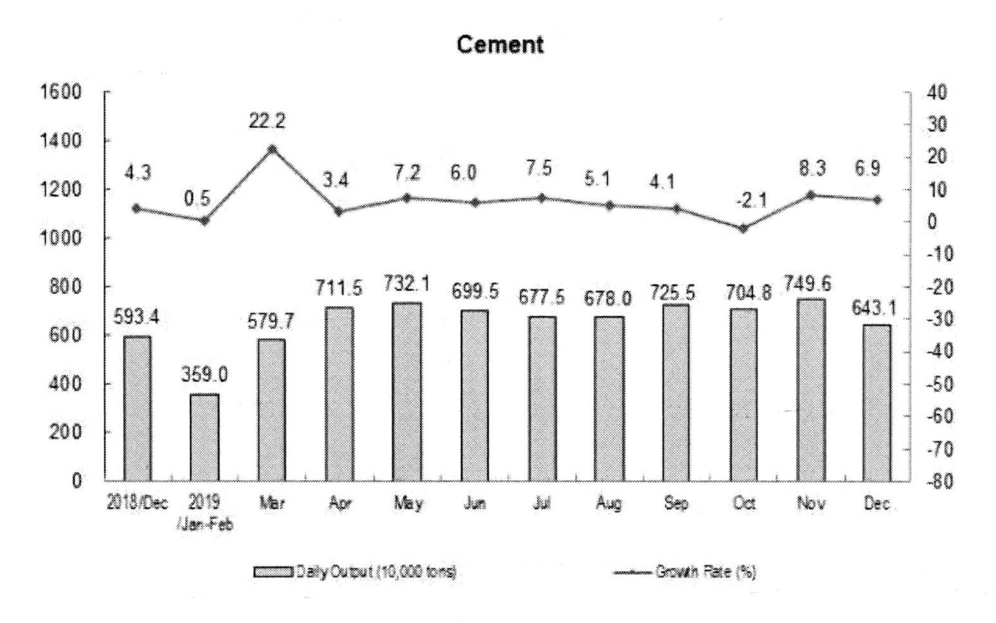

[2018년 12월~2019년 12월 중국 시멘트 생산량 및 증감률(출처:중국국가통계국)]

또한 2020년 7월에는 21,793만 톤을 생산하여 전월대비 3.6% 증가하였으며, **2020년 1월부터 7월**까지 121,782만 톤을 생산하여 전년 동기간대비 3.5% 감소하였다.

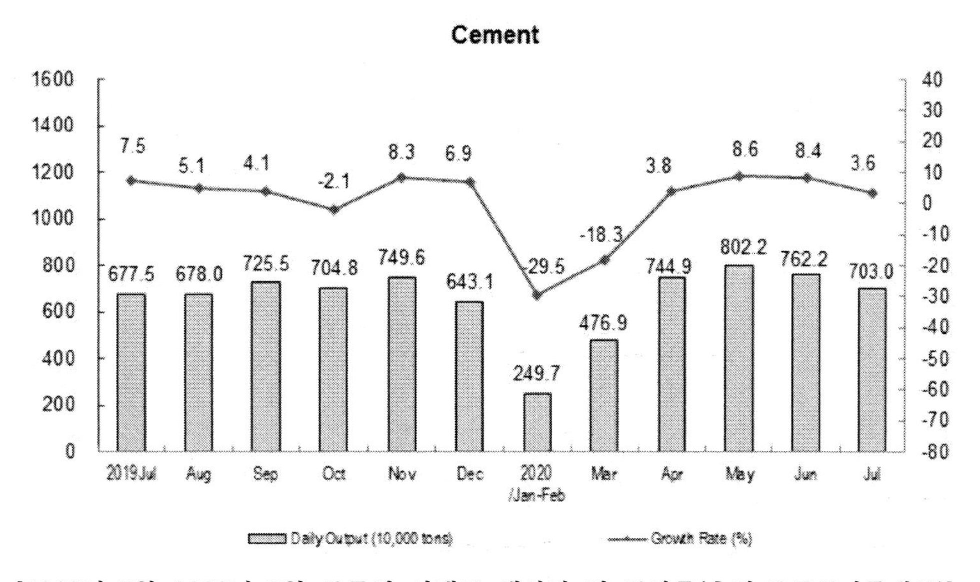

[2019년 7월~2020년 7월 중국의 시멘트 생산량 및 증감률(출처:중국국가통계국)]

---

83) 『2017 중국 시멘트산업동향』 2018.3 한국시멘트협회
84) http://www.stats.gov.cn/english/PressRelease/202001/t20200119_1723613.html 중국국가통계국

중국의 2020년도 1월과 2월의 시멘트 생산량은 현저하게 줄어든 것을 살펴볼 수 있는데, 올해 3월부터는 생산량을 회복하여 7월까지 전년 동기대비 비슷한 수치를 기록하였다. 현재 중국에서는 환경보호법이 강화됨에 따라 시멘트 생산량을 감소시키고 있는 추세이기 때문에 중국 시멘트 업계는 당분간 이에 대한 영향을 고려하지 않을 수 없다.

중국이 탄소중립을 위해 철강·시멘트 등의 생산량을 줄이는 과정에서 수출을 일부 제한할 수 있다고 국책연구원이 경고했다. 대외경제정책연구원(KIEP)은 20일 발간한 '세계경제 포커스 - 중국의 탄소중립 정책 주요 내용 및 전망' 보고서에서 "중국이 수출을 제한하면 국내 건설, 조선업 등 일부 업종에 영향이 있을 것"이라며 이렇게 밝혔다.

KIEP는 "세계 최대 탄소 배출국인 중국은 기후변화로 각종 자연재해가 빈번히 발생하면서 탄소 배출 규제를 본격화하는 추세"라며 "현 상황을 고려한 점진적인 감축을 추진할 전망"이라고 설명했다.

특히 "중국 내 철강, 비철금속 등 에너지를 많이 소모하는 산업을 중심으로 엄격한 생산량 조정이 이뤄질 예정"이라며 "향후 자국 수요에 대응하기 위한 일부 수출 제한이 예상돼 대응 방안이 필요하다"고 강조했다.

KIEP는 "철강, 시멘트 산업 등의 업종에 대한 탄소 배출 환경영향 평가 결과가 나오는 올해 하반기부터 (생산량 등에 대한) 관리 감독이 강화될 전망"이라며 "중국은 2025년까지 철강, 시멘트의 생산량을 지속해서 감축할 예정"이라고 설명했다.

또 "향후 고속 성장이 예상되는 전기차, 배터리 등 미래 신산업 분야에서도 리튬, 망간, 몰리브덴, 희토류 가공 화합물의 대중국 의존도가 높아 소재 수입 다변화가 필요하다"고 제언했다.[85]

85) KITA 무역통상정보 뉴스 '중국 하반기부터 철강 시멘트 관리 강화 수출 제한 대비해야'

4. 세계 시멘트 기업

1) LafargeHolcim

LafargeHolcim은 2015년 7월 10일 시멘트 회사 Lafarge와 Holcim의 합병으로 설립되었다. Lafarge는 프랑스를 대표하는 세계적인 건설자재업체로, 시멘트 제조 회사 중 `11년 시멘트 생산능력 기준 세계 1위를 차지한 바 있으며, Holcim은 `11년 시멘트 생산능력 기준 세계 2위를 차지한 바 있다.

LafargeHolcim은 스위스의 대표적인 시멘트 기업으로 약 70개국에 지사를 두고 있으며, 2021년 기준 약 67,409명의 직원을 고용하고 있다. 시멘트, 골재, 콘크리트 및 기타 건축 자재 등을 생산하고 있으며, 2021년 기준 CHF 268억의 매출을 기록한 바 있다. 또한 LafargeHolcim은 도로, 광산, 항구, 댐, 경기장, 풍력 발전소와 같은 주요 시설의 세계적인 건설 파트너 기업이다. 현재 스위스에 본사를 두고 있으며 SIX Swiss Exchange 및 Euronext Paris에 상장된 LafargeHolcim은 전 세계 모든 지역에서 선도적인 위치를 차지하고 있다.[86]

86) LafargeHolcim/위키백과

연도	주요 연혁
1900년대	• 백색 시멘트에 대한 첫 번째 특허출허 • 프랑스 최초의 채석장 재활사업 실시 • 회사 본사를 Ardèche에서 Viviers로 이전 • 북미 지역 진출 및 90만톤 규모의 시멘트 생산 • 브라질회사 지분 인수 및 Matozhinos에 시멘트 공장설립 • 대체 연료로 산업 폐기물 첫 번째 사용 • 카메룬과 사하라 이남의 아프리카지역 진출 • 유럽과 동부 아프리카 진출 • 인도와 한국 진출
2000년대	• 3억유로의 투자를 통해 중국내 3위 업체로 발전 • 그룹의 CEO로 Bruno Lafont 임명 • 중동 및 지중해 지역의 주요 시멘트 그룹의 지분획득 • 상하이 세계 박람회 개최

[Lafarge의 주요 연혁]

연도	주요 연혁
1900년대	• Holcim은 Holderbank, Canton Aargau 마을에서 1912년 창립 • 유럽국가의 시멘트사업 진출을 시작으로 이집트, 레바논, 남아프리카 공화국에 투자 진행 • 북미와 남미지역의 시장 진출 • 아시아, 태평양 지역의 신흥 시장 진출 • 동유럽등 신규 시장으로 확장 • 시멘트, 콘크리트의 핵심 사업 활동을 기반으로 우수 사례 정책과 직원을 위한 평생 전문 개발 프로그램 보장
2000년대	• "Holderbank"Financière Glaris에서 Holcim으로 회사명 변경 • 인도의 시장진출을 위해 Ambuja Cemen 시멘트의 지분인수 및 영국 • 시장에 진출, 북미 지역의 사업 강화 • 중국 Huaxin시멘트의 최대주주로 39.9 %의 지분 보유 • 호주의 Cemax시멘트의 인수를 통한 오세아니아의 시장지배력 확대 • 홀심의 창립 100주년

[Holcim의 주요 연혁]

87)

"Lafarge Holcim, 고성능 친환경 빌딩 솔루션 확장 위해 ECOplanet TerCem 도입"

최근 미국의 LafargeHolcim은 초저탄소 발자국 시멘트인 새로운 ECOPlanet 제품 TerCem ™을 출시했습니다. 3중 혼합 시멘트 제품인 TerCem은 최대 65%의 CO2 감소를 제공합니다. Pennsylvania 에 있는 Lafarge Whitehall 시멘트 공장에서 특별히 개발된 이 제품은 레디 믹스 생산자가 값비싼 혼화제를 사용하는 경우에도 복제할 수 없는 향상된 초기 강도 성능을 콘크리트에서 제공합니다.

미국이 건축 환경의 탄소 발자국을 낮추고 국가 기반 시설을 개선하기 위한 노력이 배가 됨에 따라 ECOPlanet 시멘트 제품은 TerCem과 함께 대규모 저탄소 건설을 가능하게 할 것입니다. TerCem은 도시 지역의 건물 부문 및 포스트텐션 콘크리트 구조물용으로 설계되었으며 탄소 발자국이 적은 다양한 응용 분야에 사용할 수 있습니다.

LafargeHolcim의 미국 시멘트 판매 SVP인 Patrick Cleary 는 "우리는 시장 변화를 주도하고 제로 미래를 향한 발걸음을 내딛고 있습니다."라고 말했습니다 . "우리 시멘트 조직은 품질과 장기적 내구성에 대한 타협 없이 탄소 발자국을 낮추도록 설계된 우수한 지속 가능한 제품의 업계 범위를 확장하는 데 막대한 투자를 했습니다."

ECOPlanet 제품 포트폴리오는 혁신적이고 저공해 원료를 사용하고 산업 공정에서 대체 연료를 광범위하게 사용함으로써 표준 시멘트에 비해 탄소 발자국을 최소 30% 낮춥니다. 미국에서 가장 오래된 시멘트 공장 중 하나인 Lafarge Whitehall 공장은 오랫동안 Solidia 시멘트를 비롯한 저탄소 제품 및 솔루션의 혁신 센터였습니다.

미국에서 ECOPlanet을 도입하는 것은 물리적 기반 시설을 개선하고 경제를 활성화하고 일자리를 창출하는 개선을 지원하는 동시에 더 친환경적인 도시와 더 스마트한 기반 시설을 구현하려는 국가적 노력의 중요한 단계입니다.[88]

---

87) 『세계 메이저 시멘트 기업 동향』 한국시멘트협회

88) CISION PR Newswire 'LafargeHolcim in the US Introduces ECOPlanet TerCem™ to Scale High-Performance Green Building Solutions'

2) HeidelbergCement

HEIDELBERGCEMENT

HeidelbergCement는 독일의 대표적인 시멘트 기업이다. HeidelbergCement는 연간 시멘트 용량이 1억 7,600만 톤인 139개의 시멘트 공장, 1,500개 이상의 레미콘 생산 현장, 600개 이상의 골재 채석장을 운영하고 있다. 한편, 2016년 7월 1일, HeidelbergCement는 Italcementi SpA 지분 45%를 인수한 것으로 알려졌다. 인수를 통해 HeidelbergCement는 골재 생산 1위, 시멘트 2위, 레미콘 3위를 기록한 바 있다. 또한 인수에 대한 반 신뢰 요건을 충족하기 위해 미국 내 자산을 6억 6천만 달러에 Cementos Argos에 매각하기로 합의했다. 하이델베르그 시멘트는 유럽의 프랑스와 이탈리아, 북아프리카의 이집트와 모로코, 동남아시아의 태국과 같은 새로운 중요한 시장에 진출했으며, 캐나다, 인도 및 카자흐스탄에서 인수는 HeidelbergCement의 기존 시장 입지를 더욱 강화하는데에 도움이 되었다.[89)]

연도	연혁
1900년대	• Mannheimer Potland Cement 와 Mainz Weisenau cement 공장 인수합병 • Burglengenfeld cement 공장 인수 • 회사명을 Portland-Zementwerke Heidelberg Aktiengesellschaft.로 변경 • 프랑스의 시멘트회사 2개업체(vicat, sudbayer) 인수
2000년대	• 인도네시아 2위업체의 주요 지분확보 • 중국시멘트회사의 지분 49%확보 및 폴란드의 분쇄공장 인수 • 러시아의 골재 및 콘크리트 회사인 Gurovo Beton 지분인수 • 세계적인 골재회사인 영국 Hanson PLC인수

[HeidelbergCement의 주요연혁]

90)

89) HeidelbergCement/위키백과

3) Cemex

CEMEX는 멕시코의 대표적인 건설자재기업이다. 시멘트, 골재, 레미콘을 50개국 이상에서 제조 및 유통하고 있으며, 2020년에는 세계에서 5번째로 큰 건축 자재 회사로 선정되었다. 회사 매출의 약 4분의 1은 멕시코 공장에서, 3분의 1은 미국 공장에서, 30%는 유럽, 북아프리카, 중동 및 아시아에서, 나머지는 전 세계 다른 공장에서 발생한다. CEMEX는 현재 4개 대륙에서 64개의 시멘트 공장, 1,348개의 레미콘 콘크리트 시설, 246개의 채석장, 269개의 물류 센터 및 68개의 해양 터미널을 운영하고 있다. 2021년 Forbes Global 2000에서 CEMEX는 연간 매출이 미화 130억 달러 이상인 세계에서 1178번째로 큰 공개 기업으로 선정되었다.[91]

연도	주요연혁
2006년~ 2021년	• CEMEX는 87.6%의 시장 점유율로 멕시코의 독점 기업으로 선정 • 베네수엘라 정부는 약 50%의 시장 점유율을 가진 최대 베네수엘라 생산업체인 CEMEX의 사업인수 • Holcim에 22억 달러 호주 사업을 매각 • 2016년 전체 7억 5천만 달러의 기록적 수입 성과 • 2021년 2분기 투자 등급 범위 내에서 순이익 2억 7천만 달러와 부채대 Ebitda 2.85의 레버리지 비율 기록

[CEMEX의 주요연혁] [92]

90) 『세계 메이저 시멘트 기업 동향』 한국시멘트협회
91) CEMEX 위키피디아
92) 『세계 메이저 시멘트 기업 동향』 한국시멘트협회

V.결론

V. 결론

먼저 시멘트 업계의 현황부터 정리하면, 건설 경기의 침체, 각종 부동산 규제와 장기화된 코로나19의 여파로 시멘트 출하량은 전년도 보다 5.5% 감소한 4840만 톤으로, 올 상반기 추세를 고려하면 연간 시멘트 출하량은 4600만 톤 수준에 그칠 것이라는 전망이 나왔다.

이에 따라 시멘트 업계의 매출 자체는 전반적으로 감소하고 있는 실정이나, 원가 비중이 높았던 유연탄 가격 하락세에 힘입어 이익률은 개선된 것으로 알려졌다. 코로나19의 여파로 산업활동이 위축되면서 국제 유연탄 수요와 가격이 급락하면서 경영실적이 되려 개선됐다는 것이 시멘트업계의 설명이다.

한편, '친환경 시멘트'에 대한 갑론을박은 여전히 진행 중이다. 먼저 업계의 입장은 해외에서도 이미 폐기물 시멘트는 순환자원의 일환으로 생산되고 있으며, 코로나19로 인해 더욱 심각해진 국내 쓰레기 대란 문제를 해결할 수 있는 방법이라고도 설명했다. 그러나 시민단체는 한국양회공업협회가 요업기술원에 의뢰해 작성한 '시멘트 중 중금속 함량 조사 연구'에 따르면 국내산 시멘트 중 10개의 시료를 분석한 결과 6개 제품에서 6가크롬이 유독성 지정 폐기물 기준치인 1.5mg/l이 수배나 넘게 검출되었다는 입장을 내놓았다. 이에 따라 폐기물 시멘트는 결코 '친환경 시멘트'가 될 수 없다는 의견이다.

또한 최근에 불거졌던 '일본산 석탄재 수입' 문제에 관해서는 업계가 입장을 바꾸기로 했다. 업계는 일본산 석탄재 자체가 문제가 되진 않지만 국민 여론을 거스르지 않는 방법을 모색하던 중, 국내산 석탄재로 대체하기 위한 시멘트 공정시스템 구축 및 원료화 기술 개발사업을 시작했다고 밝혔다. 이에 따라 시멘트 업계는 한국남부, 중부, 남동발전 등과 손을 잡고 화력발전 부산물 석탄재를 재활용하여 다양한 친환경 사업을 추진하고 있다는 소식을 전했다. 석탄재는 발전소에서 석탄을 연소한 뒤 발생하는 부산물로, 주로 레미콘 혼화재나 시멘트 원료 등으로 재활용할 수 있는데, 일본산 석탄재 수입을 중단하고 국내산 석탄재로 대체하는 방법을 모색한 것이다.

국내 기술 개발 사례를 살펴보면, 현대건설은 친환경 고화재를 개발하였고 포스코는 슬래그 개발에 집중하였다. 그 밖에 한국석회석신소재연구소는 '저탄소 그린시멘트'를 개발하였고, 한국해양과학기술원은 '굴패각'을 활용한 시멘트를 연구 중이며, 각종 시멘트 기업들은 친환경 폐열발전 설비를 마련하고, 각종 발전소와 손을 잡고 일본산 석탄재를 국내산 석탄재로 대체하는 사업에 박차를 가하고 있다.

해외 사례를 정리해보면, 폐기물 시멘트에 관해 국내와는 다른 인식들을 살펴볼 수 있었으며 대표적으로 'EU 순환경제 패키지'가 재정되면서 폐기물 재활용 및 재사용에 관한 구체적인 방안들이 제시되었다.

국내에는 폐기물 시멘트 외에 친환경 재료를 사용한 기술 개발 사례들이 곳곳에 눈에 띄긴 했으나 아직 '친환경 시멘트 산업군'을 이루기에는 모호한 부분이 있다고 해석되었다. 향후 친환경 시멘트 산업은 국내 논란 여부가 정리된 다음, 차츰 여러 기술개발 사례들을 통해 더욱 성장할 것으로 예상된다.

Ⅵ.참고사이트

VI. 참고사이트

1) 《최신 콘크리트공학》 한국콘크리트학회.

2) Michael S. Mamlouk & John P. Zaniewski 2016, 238p

3) 시멘트/위키백과

4) 시멘트의 역사, 한국시멘트협회 http://www.cement.or.kr/

5) [기획]한국의 시멘트산업사/아시아경제

6) "시멘트의 이해" 한국시멘트협회

7) 라파즈한라 시멘트 주식회사 - 시멘트 이야기

8) [기획]②'경제개발계획' 추진과 '시멘트협회'의 출범(1960~70년대)/아시아경제

9) 조선비즈 '가격 천정부지 유연탄 시멘트-레미콘-건설업계 연쇄 영향'

10) 충북·강원도, 시멘트 지역자원시설세 신설 공조/중부매일

11) 코로나19에 '시멘트세' 재추진까지…시멘트 업계 '이중고'/MTN 머니투데이방송

12) '친환경 투자' 발상 전환… 시멘트 업계, 깜짝 실적/문화일보

13) 시멘트업계, 친환경 설비에 1300억원 투입/아시아경제

14) 반도체·전자·시멘트 친환경생산설비에 '투자세액공제'/조선비즈

15) 세계일보 '국내 시멘트 제품, EU기준으로 실험했더니 1급 발암물질 최대4배'

16) MTN뉴스 '유연탄 실적쇼크 덮친 시멘트업계, 반등은 언제?'

17) 미얀마 시멘트시장 개척나선 요진건설/매일경제 MBN

18) 아이뉴스24 '시멘트업계의 폐기물처리, 문제는 없는가'

19) '저탄소 콘크리트 인증' 서두르는 레미콘사/아시아경제

20) 이투데이 '쌍용C&E, 시멘트값 9만800원으로 최종합의 레미콘업계와 상생발전위해'

21) 머니S '삼표시멘트, 1분기 영업익 28억원 유연탄 가격 상승에도 실적 선방'

22) 아시아투데이 '전근식 한일시멘트, 자체 인프라 시멘트값 인상에 수익성 반전기대'

23) [기고] '자기치유 콘크리트'에 거는 기대/건설경제 LH 토지주택연구원 수석연구원

24) 땅집go '레미콘값 폭등에 정부도 이례적 가격 인상 결정'

25) SG, 아스콘 친환경 설비 사업 본격화/매일경제 MBN

26) "폐기물도 자원"…시멘트업계 '앞장'/EBN

27) "넘쳐나는 폐플라스틱, 친환경 에너지원으로 쓸 수 있다"/주간동아

28) 더 이상 '묻을 곳'이 없다…코로나發 '쓰레기 대란' 초비상/한국경제

29) 시멘트협회, '쓰레기 대란' 소성로서 재활용/환경미디어

30) [김승현 논설위원이 간다] 일본산 석탄재, 쓰레기인가 시멘트 산업 자원인가/중앙일보

31) 시멘트 자원순환의 고리인가? 국민 건강 위협하는 문제인가?/환경미디어

32) 폐기물 녹여만든 '쓰레기 시멘트'...전국 아파트 도배해/그린포스트코리아
33) [특집] '시멘트 품질 등급제' 도입, 안 하나 못 하나/환경미디어
34) 아주경제 '일본산 석탄재 수입 절반 넘게 줄어 2022년까지 석탄제 수입 제로'
35) 시멘트업계, 수입 석탄재 대체 기술개발에 나선다/문화일보
36) "산업폐기물로 만든 시멘트, 인체에 어떤 영향 미치는지 누구하나 나서지 않아"/위클리서울
37) 현대건설, 철강 부산물 이용 '無시멘트 연약지반 고화재' 녹색기술 인증 획득/Tech Holic
38) 포스코건설 새시멘트 '장영실상' 수상/공감언론 뉴시스
39) 포스코건설 페로니켈 슬래그 활용 시멘트 개발/한국건설신문
40) 포스코, 친환경 슬래그 시멘트로 순환경제 앞장/대경일보
41) 한일시멘트, 안전·환경을 생각하는 시멘트업계 1위/매일경제 MBN
42) 부가가치 창출의 주역 '단양 한국석회석신소재연구소'/중부매일
43) 삼표시멘트, 가연성 생활폐기물 유연탄 대체연료로 재활용/브릿지경제
44) 삼표시멘트, 20억 투자…순환자원 재활용 '力' 싣는다/뉴스웨이
45) 친환경 속도내는 삼표, 자원 재활용 앞장/파이낸셜뉴스
46) 현대오일뱅크, 온실가스로 시멘트·종이 만든다/국민일보
47) 시멘트 공장 온실가스 배출 주범은 '옛 말'…오염물질 이유 있는 감소/아시아경제
48) 쌍용양회, 친환경 전략으로 '깜짝실적'…주식 매수가치 상승/그린포스트코리아
49) 아세아시멘트, 친환경 저활성 CSA계 시멘트 특허 취득/동양일보
50) 바닷속 방치된 굴패각 재활용…친환경 해양생태블록 만든다/국제신문
51) [요즘 과학 따라잡기] 굴껍질로 만드는 바이오시멘트/서울신문
52) 일본산 석탄재 대체하는 코스처/서울경제
53) 남부발전 폐기물인 석탄재 100만t 재활용 성공…일본산 대체/연합뉴스
54) 시멘트 원료·친환경 토양 등…화력발전 부산물 석탄재 변신/연합뉴스
55) 중부발전, 일본산 석탄재 대체…매립석탄재 재활용 개시/ZDnet Korea
56) 남동발전, 시멘트 회사에 석탄재 공급 확대…"일본산 대체"/연합뉴스
57) http://www.daehogroup.co.kr/ 대호산업개발
58) "친환경 시멘트가 대세".. 기존 시멘트 빠르게 대체하는 '고화재'/서울경제
59) 노후시설물 하중저항능력 2배·내구수명 3배↑…건설연, 보강공법 개발/대한전문건설신문
60) 소각재를 활용해 시멘트를 만드는 '도쿄 에코 시멘트화 시설' 완공 (동경都 타마 지구)/서울연구원
61) [시멘트업계 , 이제는 친환경 승부] <3부> 유럽등 선진국 , 환경시멘트 각광/파이낸셜뉴스
62) 폐기물로 지구 살리는 유럽/조선비즈

63) 『순환경제와 폐자원에너지의 역할: EU 정책 중심으로』 KEITI 한국환경산업기술원
64) European Commission(2015), *Closing the loop - An EU action plan for the Circular Economy.*
65) 『EU의 순환경제 전략과 플라스틱 사용 규제』 2018.9.12. KIEP 대외경제정책연구원
66) 친환경 시멘트 생산, 전기화학 공정 개선으로 CO2 감소/그린포스트코리아
67) 바이오 벽돌로 콘크리트 탄소배출 줄인다/이코노믹리뷰
68) MOBIINSIDE[외신] '코로나 이후 전 세계가 필요로 하는 건 시멘트와 콘크리트?'
69) Global cement 'Growing Portland Limestone Cement production in the US'
70) 독일 시멘트 공장, 폐기물 태워 공장살리고 환경살리고/dongA.com
70) Global cement 'Buzzi Unicem launches CGreen reduced-CO2 cement in Germany and Italy'
71) Global cement 'ThyssenKrupp, Holcim and TU Berlin start amine scrubbing research project'
72) 깨진 곳 스스로 고치는 '바이오 콘크리트' 개발… "내년 상용화"/나우뉴스
73) 『2017년 일본 시멘트산업동향』 2018.11 한국시멘트협회
74) 강인규·신상철·김진만 「국내외 시멘트 관련 품질 표준 동향」,한국시멘트협회,2021,p35
75) 배성철, 문주혁, 남정수 「세계 각국의 시멘트-콘크리트 탄소중립 추진현황」, 한국콘크리트학회, 2022, p55,56
76) 『2017 중국 시멘트산업동향』 2018.3 한국시멘트협회
77) http://www.stats.gov.cn/english/PressRelease/202001/t20200119_1723613.html 중국 국가통계국
78) KITA 무역통상정보 뉴스 '중국 하반기부터 철강 시멘트 관리 강화 수출 제한 대비해야'
79) LafargeHolcim/위키백과
80) 『세계 메이저 시멘트 기업 동향』 한국시멘트협회
81) CISION PR Newswire 'LafargeHolcim in the US Introduces ECOPlanet TerCem™ to Scale High-Performance Green Building Solutions'
82) HeidelbergCement/위키백과
83) 『세계 메이저 시멘트 기업 동향』 한국시멘트협회
84) CEMEX/위키피디아

초판 1쇄 인쇄 2020년 9월 04일
초판 1쇄 발행 2020년 9월 14일
개정 1판 발행 2022년 6월 13일

편저 비피기술거래 비피제이기술거래
펴낸곳 비티타임즈
발행자번호 959406
주소 전북 전주시 서신동 780-2 3층
대표전화 063 277 3557
팩스 063 277 3558
이메일 bpj3558@naver.com
ISBN 979-11-6345-363-5 (13540)

이 도서의 국립중앙도서관 출판예정도서목록(CIP)은 서지정보유통지원시스템홈페이지 (http://seoji.nl.go.kr)와국가자료공동목록시스템 (http://www.nl.go.kr/kolisnet)에서 이용하실 수 있습니다.